AKKORDEON*pur*

Edith Piaf

Inhalt **Seite**

Impressum

VHR 1819 / ISMN 979-0-2013-0457-1 /
ISBN 978-3-940069-92-4

Bearbeiter: Hans-Günther Kölz

Satz und Layout: Regina Krauß, Speyer

Umschlaggestaltung: Manfred Gruber

www.holzschuh-verlag.de

L'homme à la moto

Text & Musik: Mike Stoller/Jerry Leiber
Französischer Text: Jean Drejac

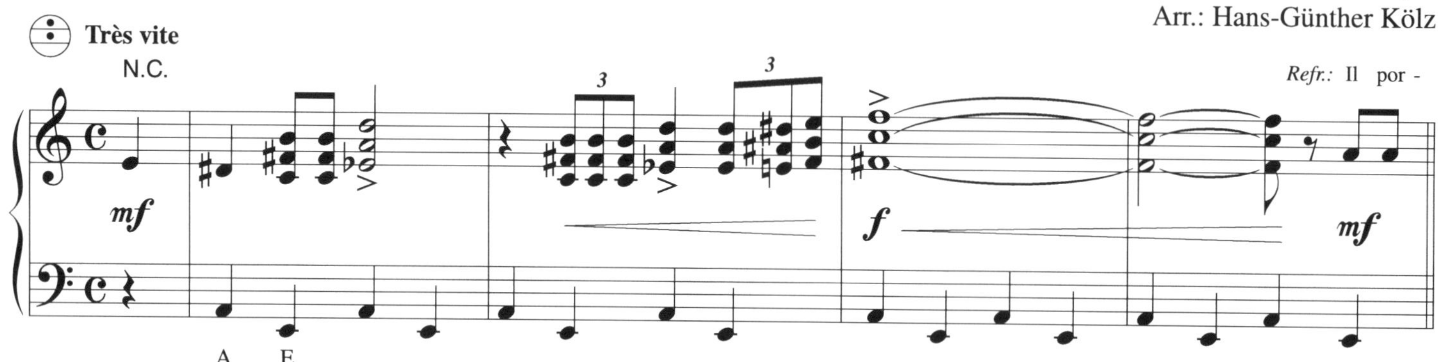

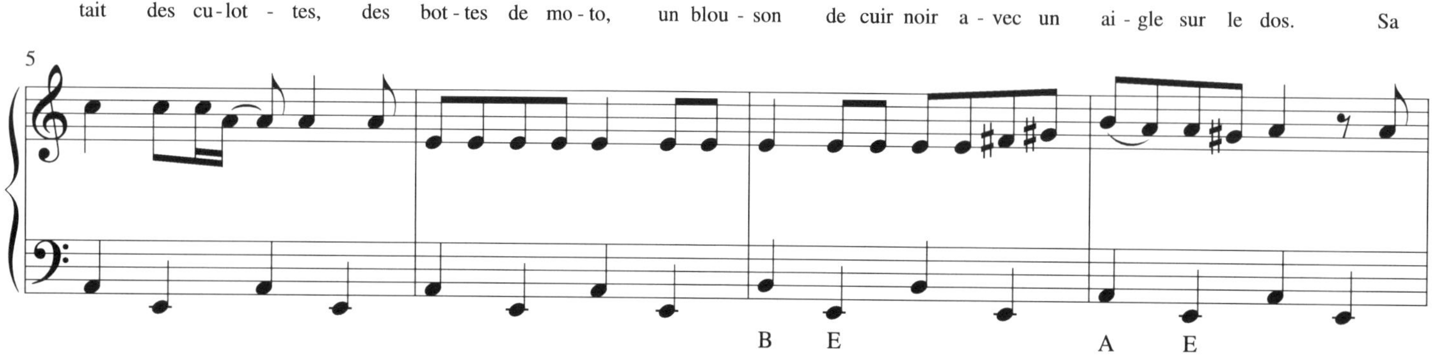

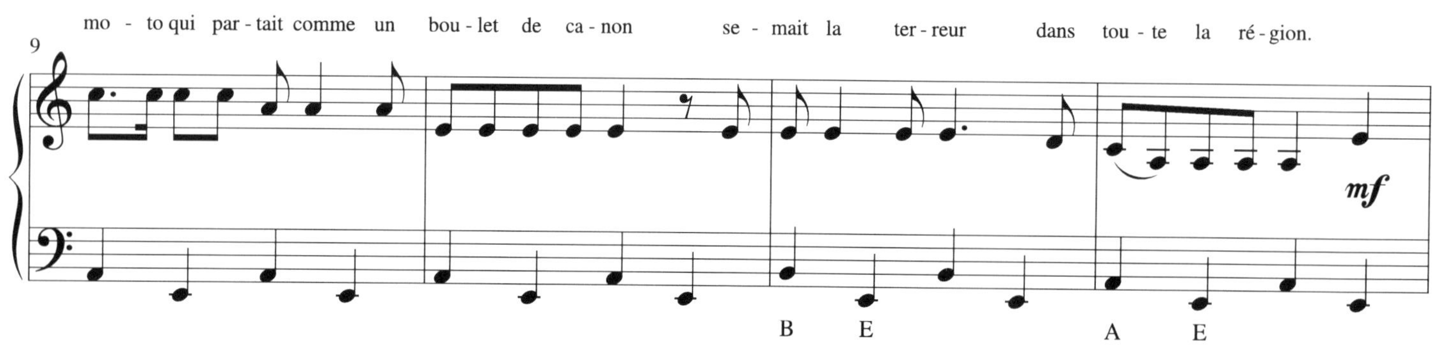

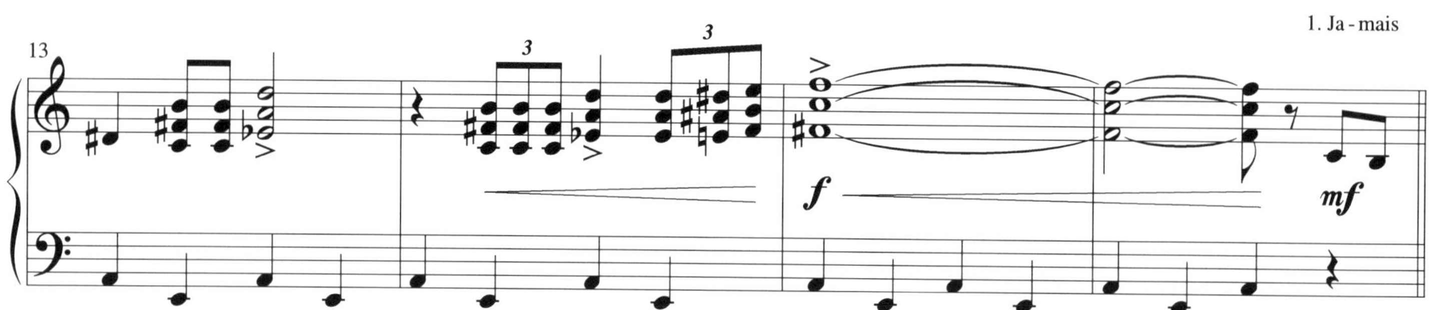

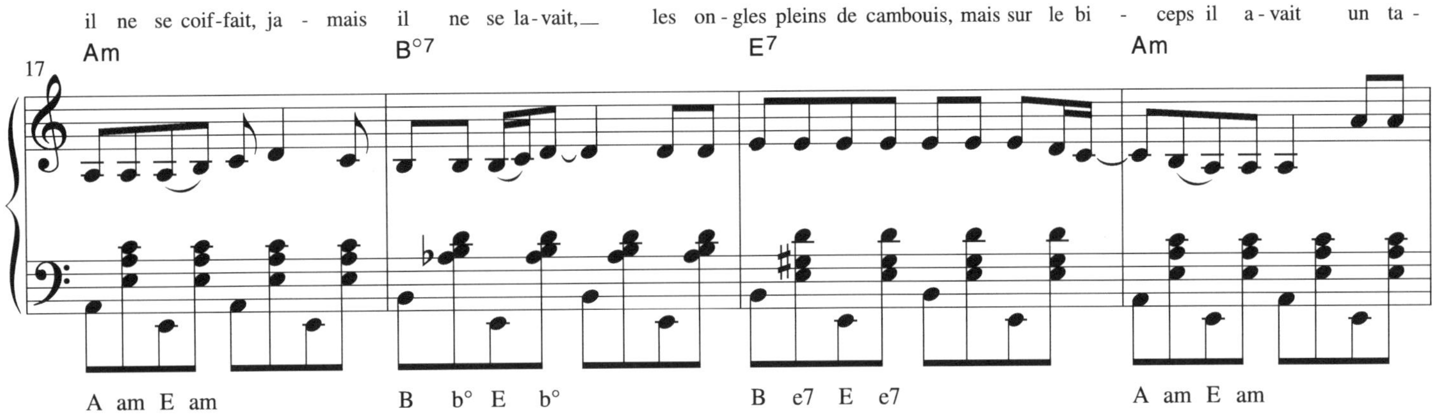
il ne se coif-fait, ja - mais il ne se la-vait, les on-gles pleins de cambouis, mais sur le bi - ceps il a-vait un ta -
Am
B°7
E7
Am
17
A am E am
B b° E b°
B e7 E e7
A am E am

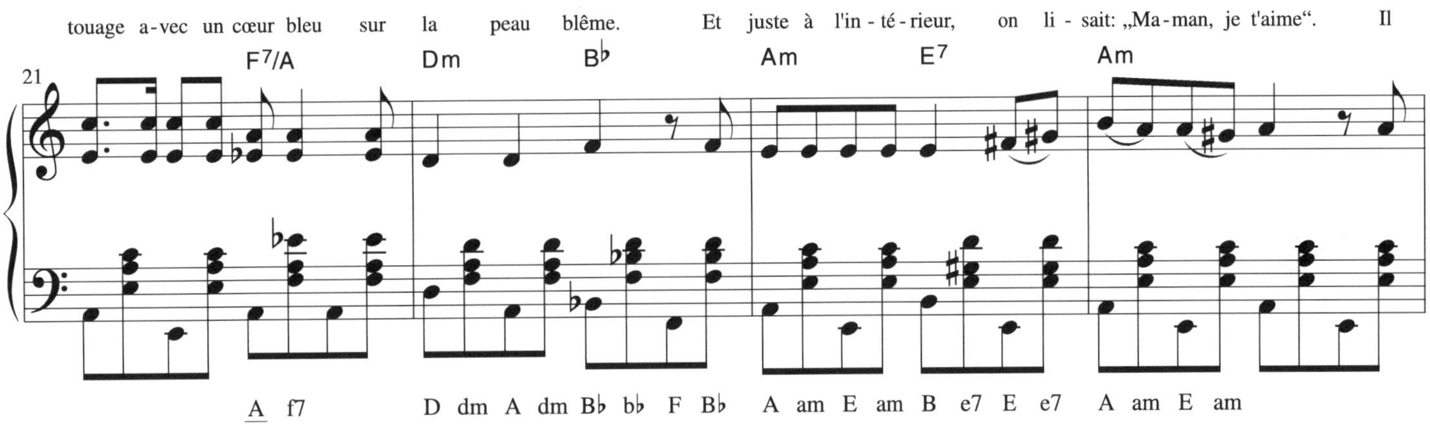
touage a-vec un cœur bleu sur la peau blême. Et juste à l'in-té-rieur, on li - sait: „Ma-man, je t'aime“. Il
F7/A
Dm
B♭
Am
E7
Am
21
A f7
D dm A dm B♭ b♭ F B♭
A am E am B e7 E e7
A am E am

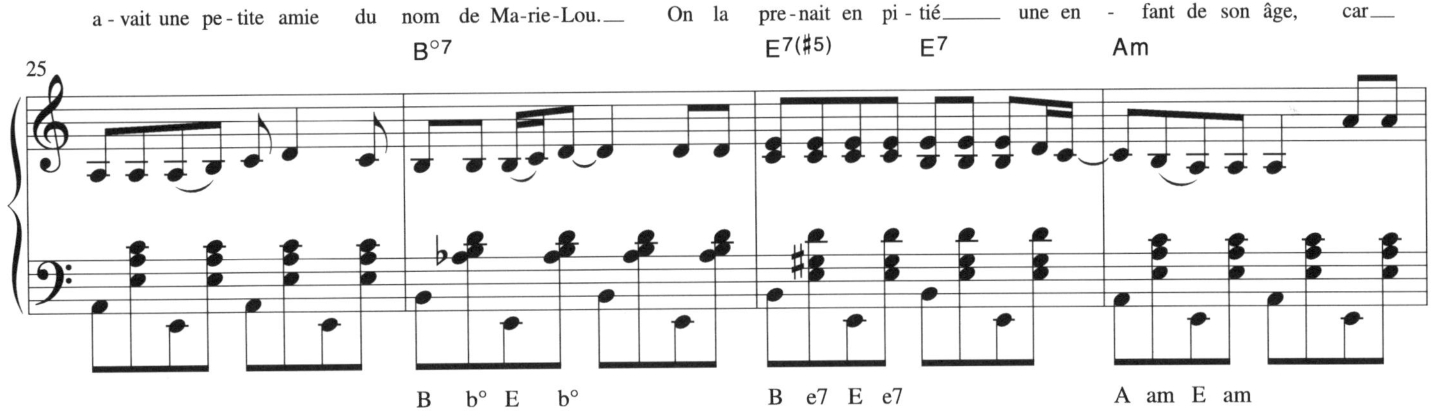
a-vait une pe-tite amie du nom de Ma-rie-Lou. On la pre-nait en pi-tié une en - fant de son âge, car
B°7
E7(♯5)
E7
Am
25
B b° E b°
B e7 E e7
A am E am

tout le mon-de sa-vait bien qu'il aimait entre tout sa chien-ne de mo-to bien da-van - ta-ge.
Am6
F7
F7/E♭
Dm7
/C
B♭7/9
Am9
Am
E7
Am6
29
F f7 E♭ f7
D dm C dm B♭ b♭ F b♭
A am E am B e7 E e7
A am E am

Special Chorus
33
Am
E7
mp
B e7 E e7
36
Am
f
3
mp
A am E am
39
E7
Am
f
mp
cresc.
B e7 E e7
A am E am
42
E7
Am
f
B e7 E e7
A am E am
45
E7
B e7 E e7

Am
48
f
A am E am
51
E7
Am
B e7 E e7
A am E am
55
E7
Am
B e7 E e7
A am E am
58
ad lib. trem.
E7
Am
B e7 E e7
A am E am
61
Am6
B°7
E7(♭9)
B b° E b°
B e7 E e7

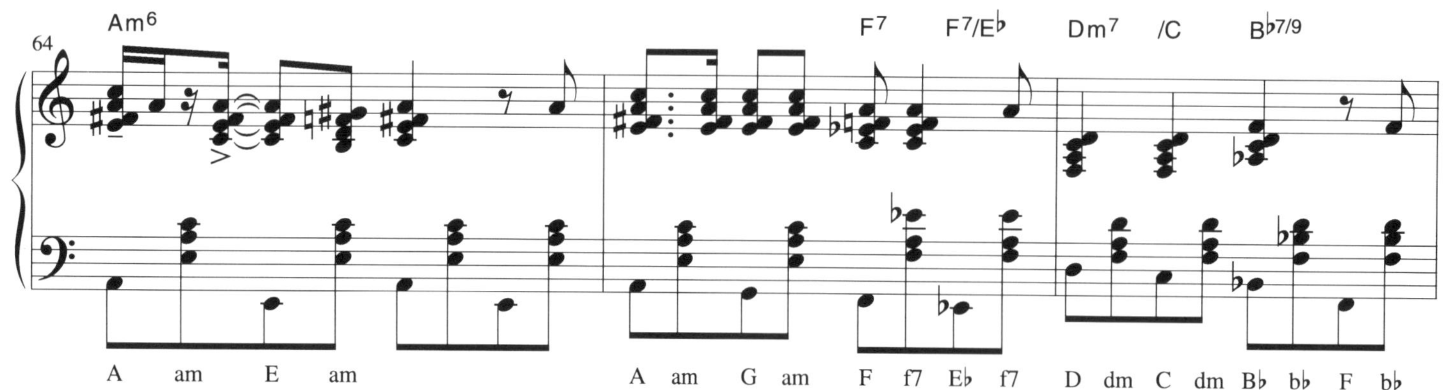

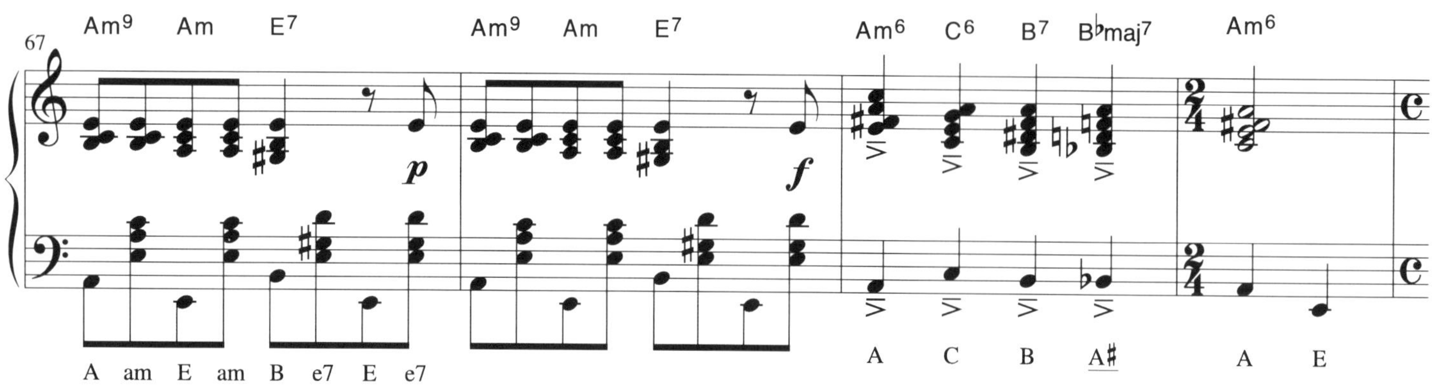

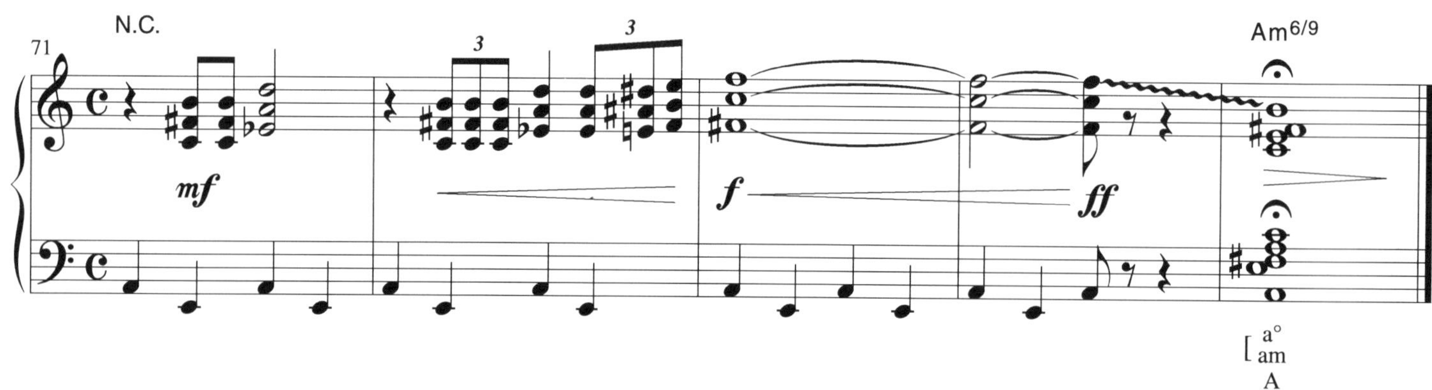

2. Marie-Lou, la pauvre fille, l'implora, le supplia,
dit: "Ne pars pas ce soir, je vais pleurer si tu t'en vas."
Mais les mots furent perdus, ses larmes pareillement
dans le bruit da sa machine et du tuyau d'échappement.
Il bondit comme un diable avec des flammes dans les yeux,
au passage à niveau, ce fut comme un éclair de feu
contre une locomotive qui filait vers le midi
et quand on débarrassa les débris

Refrain
on trouva sa culotte, ses bottes de moto,
son blouson de cuir noir avec un aigle sur le dos,
mais plus rien de la moto et plus rien de ce démon
qui semait la terreur dans toute la région.

Hymne à l'amour

Musik: Marguerite Monnot
Text: Edith Gassion
Arr.: Hans-Günther Kölz

Couplet quasi récitatif

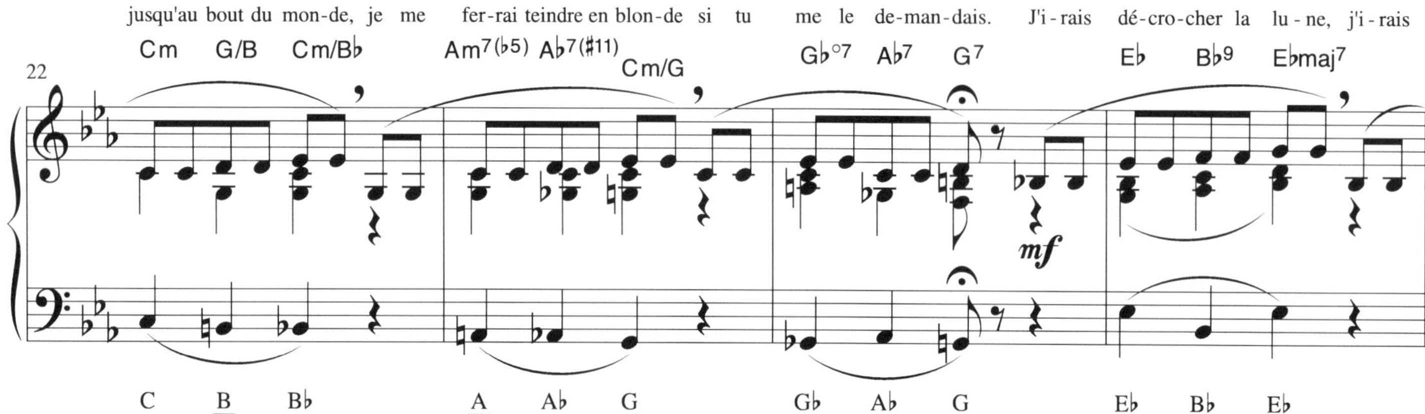

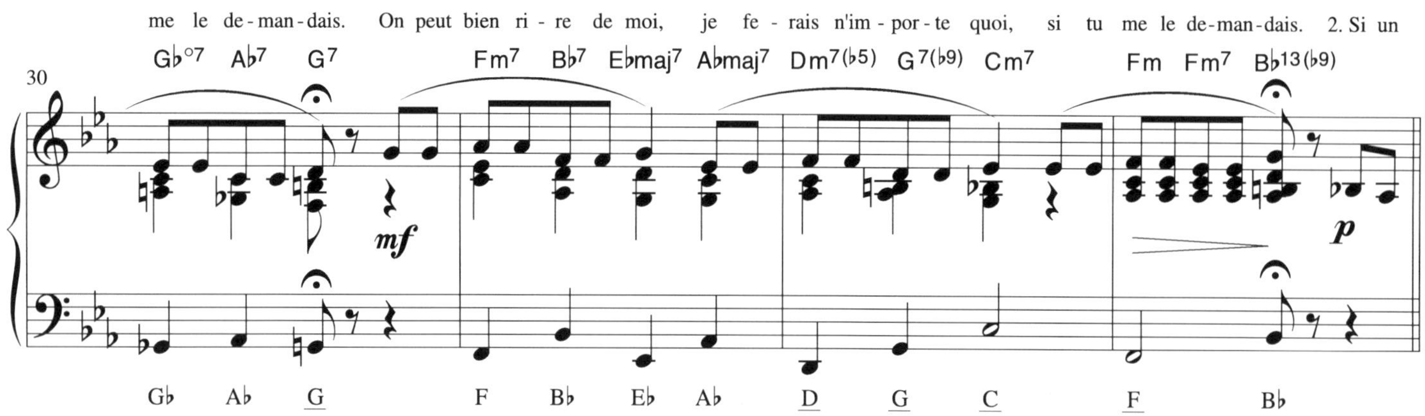

Tempo di Blues
jour la vie t'ar-rache à moi, si tu meurs, que tu sois loin de moi, peu m'im-
E♭ G7/D Cm7 Cm7/B♭ Fm Fm/E♭ B♭9/D B♭9 E7(♯9)
34
E♭ e♭ D g7 C cm B♭ cm F fm E♭ fm D C B♭ E
por - te si tu m'ai - mes, car moi je mour - rai aus - si. Nous au -
E♭maj7 A9(♯11) A♭ D♭9 Cm7 /B♭ A♭ Am7(♭5) B♭9 B♭7
38
E♭ A A♭ D♭ C B♭ A♭ A B♭
rons pour nous l'é - ter - ni - té, dans le bleu de toute l'im-men-si - té, dans le
E♭ G7/D Cm7 Cm7/B♭ Fm Fm/E♭ B♭9/D B♭9 E7(♯9)
42
E♭ e♭ D g7 C cm B♭ cm F fm E♭ fm D C B♭ E
ciel plus de pro - blè - mes, Dieu ré - u - nit ceux qui s'ai - - - ment.
E♭maj7 A9(♯11) A♭ D♭9 E♭/G E♭ Fm7 B♭13(♭9) C♭maj7 F♭maj7 E♭maj9
46
E♭ A A♭ D♭ G E♭ F B♭ B E E♭

Non, je ne regrette rien

Musik: Charles Dumont
Text: Michel Vaucaire
Arr.: Hans-Günther Kölz

Slow Shuffle

Gadd9 G Am7sus4 D7 Gadd9 G

p *simile*

G A D G

Refr.: Non! Rien de rien …

4 Am7sus4 D7 Gadd9 G Am7sus4 D7

A D G A D

Non! Je ne re-gret-te rien. Ni le bien, qu'on m'a

7 Am7sus4 D7 Gmaj7 G6 C

cresc.

A D G C

fait, ni le mal, tout ça m'est bien é - gal!

10 C(♯5) C6 D9 D7

d7
D

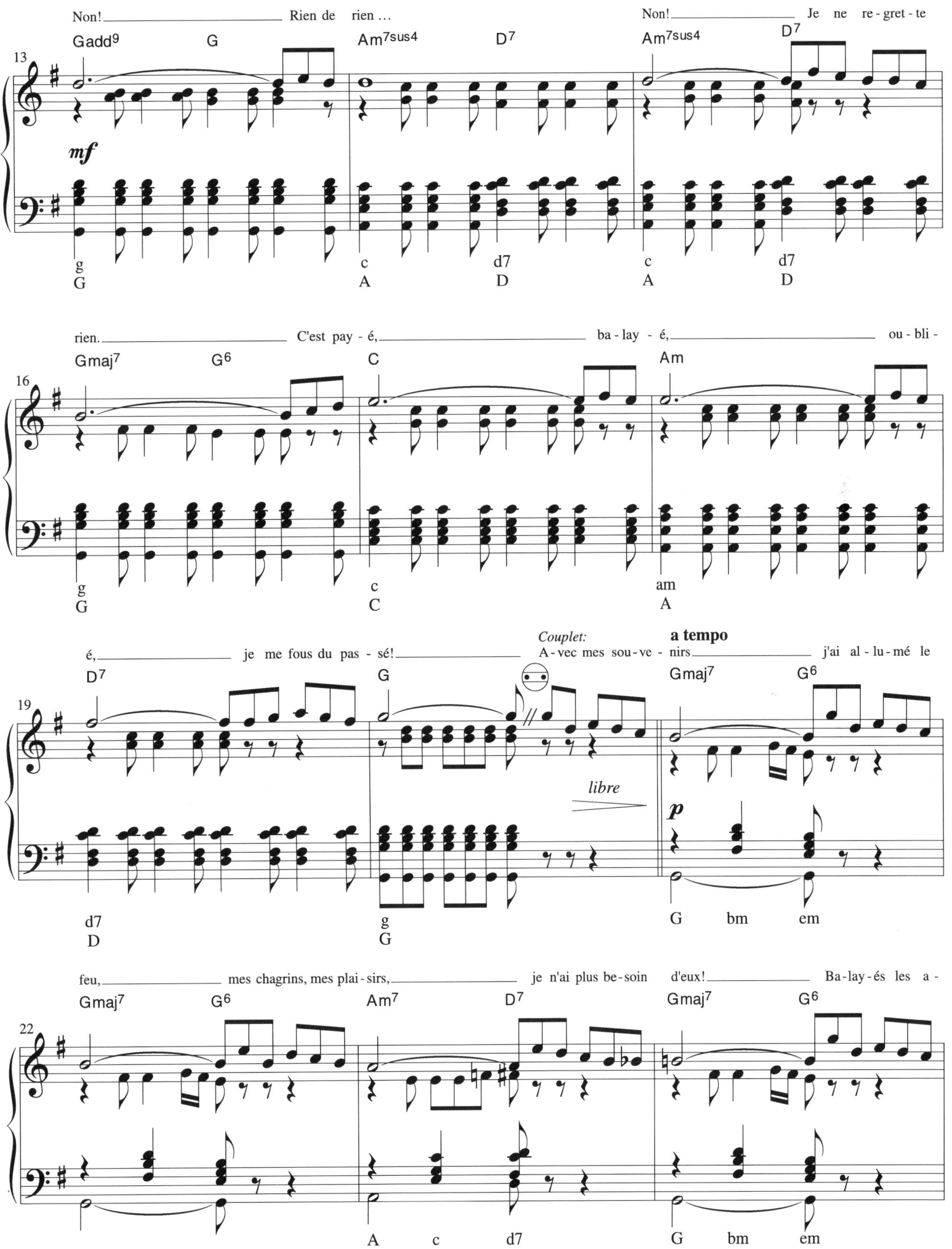
Non! Rien de rien … Non! Je ne re-gret-te
Gadd9 G Am7sus4 D7 Am7sus4 D7
13
mf
g G c A d7 D c A d7 D
rien. C'est pay-é, ba-lay-é, ou-bli-
Gmaj7 G6 C Am
16
g G c C am A
é, je me fous du pas-sé!
Couplet:
a tempo
A-vec mes sou-ve-nirs j'ai al-lu-mé le
D7 G Gmaj7 G6
19
libre
p
d7 D g G G bm em
feu, mes chagrins, mes plai-sirs, je n'ai plus be-soin d'eux! Ba-lay-és les a-
Gmaj7 G6 Am7 D7 Gmaj7 G6
22
A c d7 D G bm em

mours a-vec leurs tré-mo-los, ba-lay-és pour tou-jours, je re-pars à zé-
Gmaj7 G6 Gmaj7 G6 Am7 D7
25
A c d7
D
ro. Refr.: Non! Rien de
G7
Cadd9 C
28
p
f
g
G
g7
G
c
C
rien … Non! Je ne re-gret-te rien. Ni le
Dm7sus4 G7 Dm7sus4 G7 Cmaj7 C6 Gm7 G♭7(♭9)
31
f
D
g7
G
f
D
g7
G
c
C
G F♯
bien, qu'on m'a fait, ni le mal, tout ça m'est bien é-
F6 F(♯5) F6
34
f
F
F
f
F

gal!
Non! Rien de rien …
G7
Cadd9 C
Dm7sus4 G7
37
mf
f
g7
G
c
C
f
D
g7
G
Non! Je ne re-gret-te rien. Car ma vie, car mes
Dm7sus4 G7
Cmaj7 C6 Gm7 G♭7(♭9) F6
40
c
C
G F♯
f
F
a tempo
joies, au - jour - d'hui, ça com - mence a - vec toi!
Dm7
G7
C C6 C
43
ff
libre
f
D
g7
G
c
C
A♭ A♭add9 A♭
C6
46
a♭
A♭
c
C

Padam ... Padam

Musik: Norbert Glanzberg
Text: Henri Contet
Arr.: Hans-Günther Kölz

viens, traî - né par cent mille mu - si - ciens.
C7/G G♭7(♯11) F7 B♭m
G G♭ F f7 C f7 F f7 B♭ b♭m F b♭m
Un jour cet air me ren - dra fol - le, cent
B♭9 B9 B♭9 A9
b♭m B♭ B♭ b♭7 B B♭ b♭7 F b♭7
fois j'ai vou - lu dire pour - quoi, mais il m'a cou-
B♭9 B9 B♭9 E9(♯11) E♭9
B♭ b♭7 B B♭ b♭7 B♭ F E E♭ e♭7
pé la pa - ro - le, il par - le tou - jours a - vant
E9 E♭9 G♭9
E E♭ e♭7 B♭ e♭7 E♭ e♭7 F♯

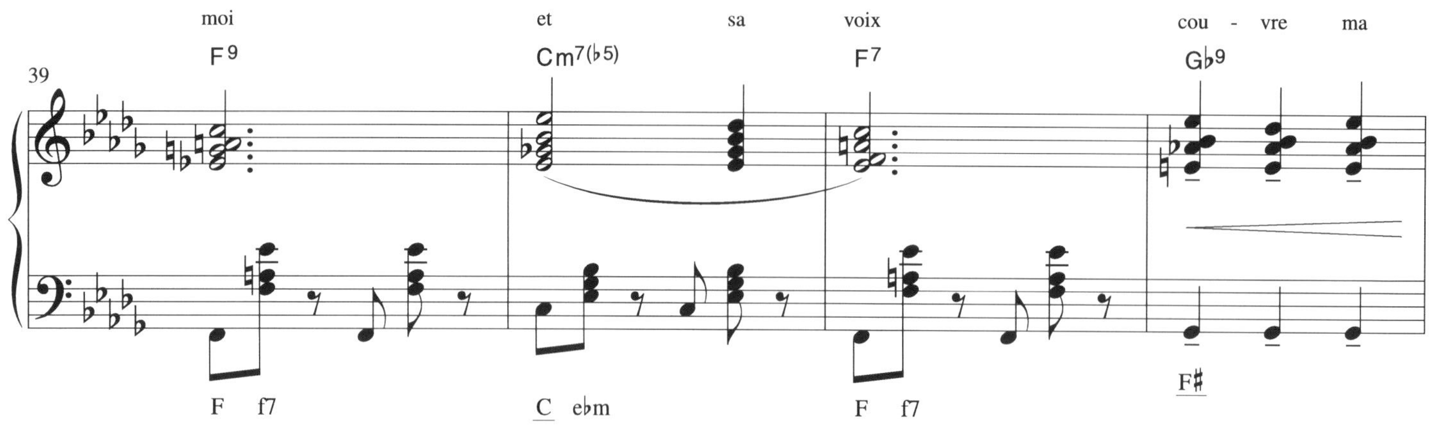
moi
et
sa
voix
cou - vre ma
F9
Cm7(♭5)
F7
G♭9
39
F f7
C e♭m
F f7
F♯

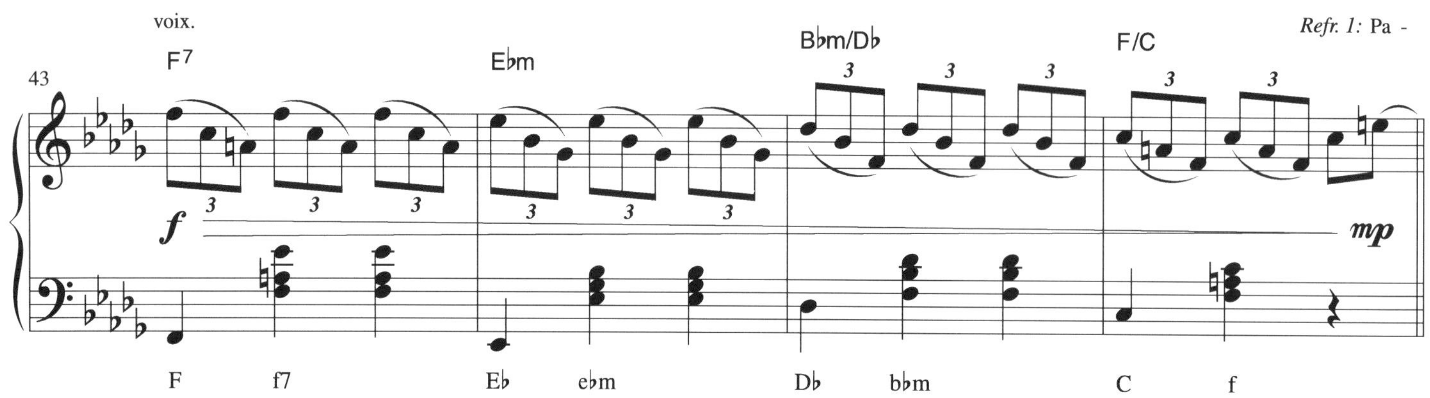
voix.
Refr. 1: Pa -
F7
E♭m
B♭m/D♭
F/C
43
f
mp
F f7
E♭ e♭m
D♭ b♭m
C f

dam…
Pa - dam…
Pa - dam…
Il ar - rive en cou -
B♭madd2
B♭m
47
B♭ b♭m F
B♭ b♭m
B♭ b♭m F b♭m

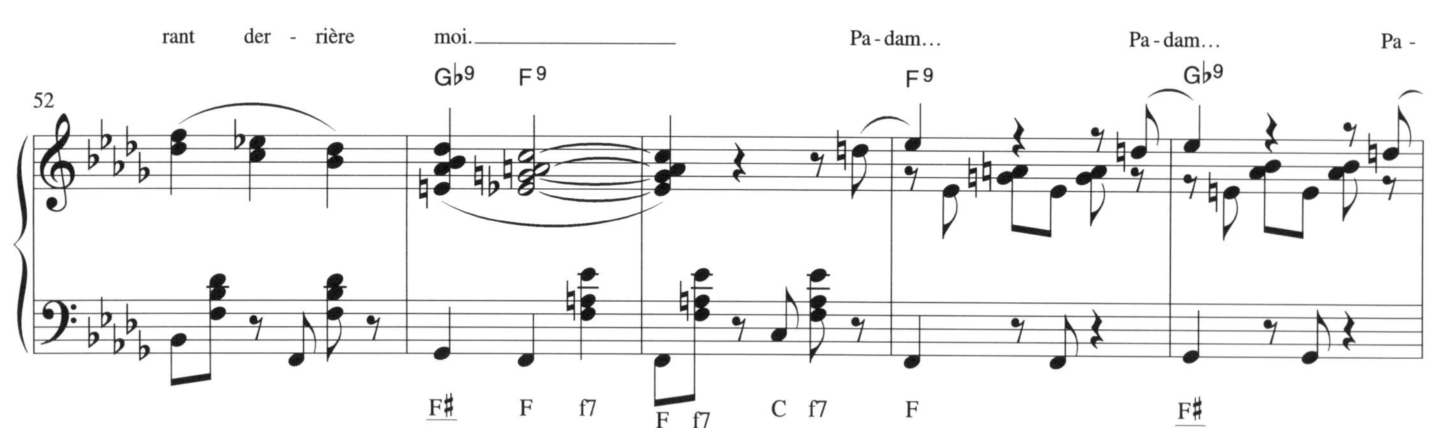
rant der - rière moi.
Pa - dam…
Pa - dam…
Pa -
G♭9
F9
F9
G♭9
52
F♯
F f7
F f7
C f7
F
F♯

dam… Il me fait le coup du "sou - viens - toi."
F9 Gb9 F7 Bbm6
57
F F# F f7 C f7 F f7 Bb bbm F

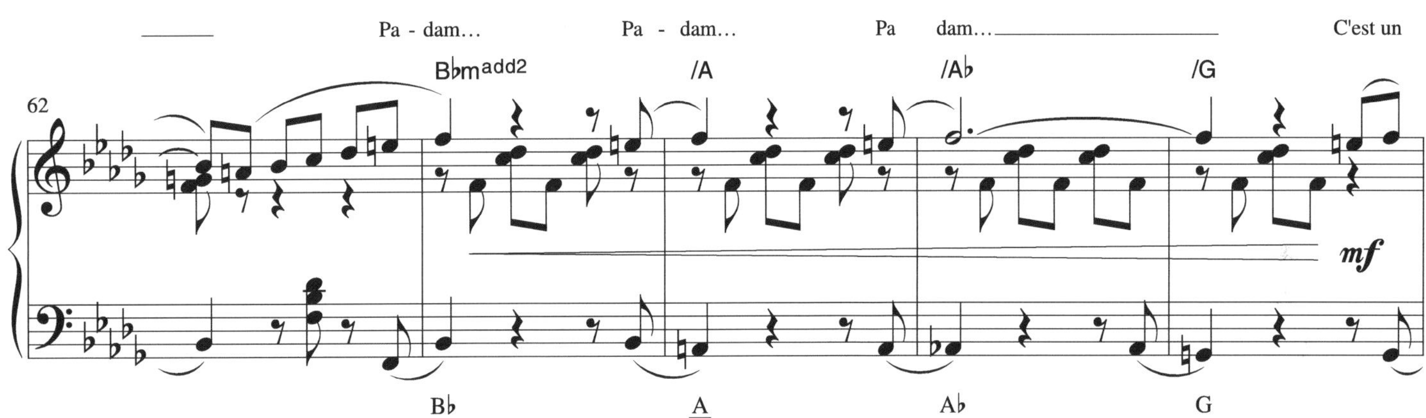
Pa - dam… Pa - dam… Pa dam… C'est un
Bbmadd2 /A /Ab /G
62
mf
Bb A Ab G

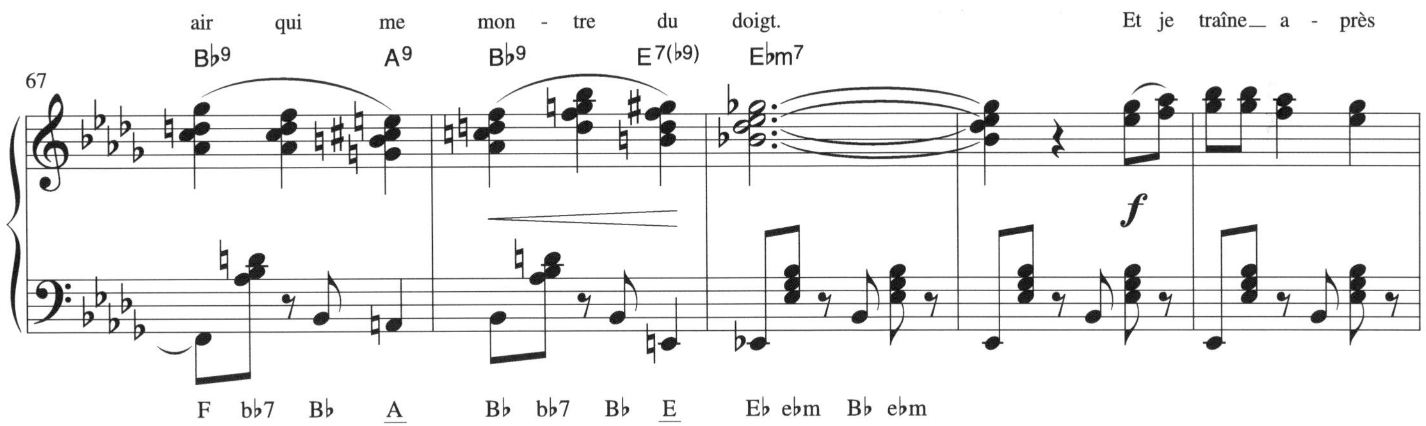
air qui me mon - tre du doigt. Et je traîne a - près
Bb9 A9 Bb9 E7(b9) Ebm7
67
f
F bb7 Bb A Bb bb7 Bb E Eb ebm Bb ebm

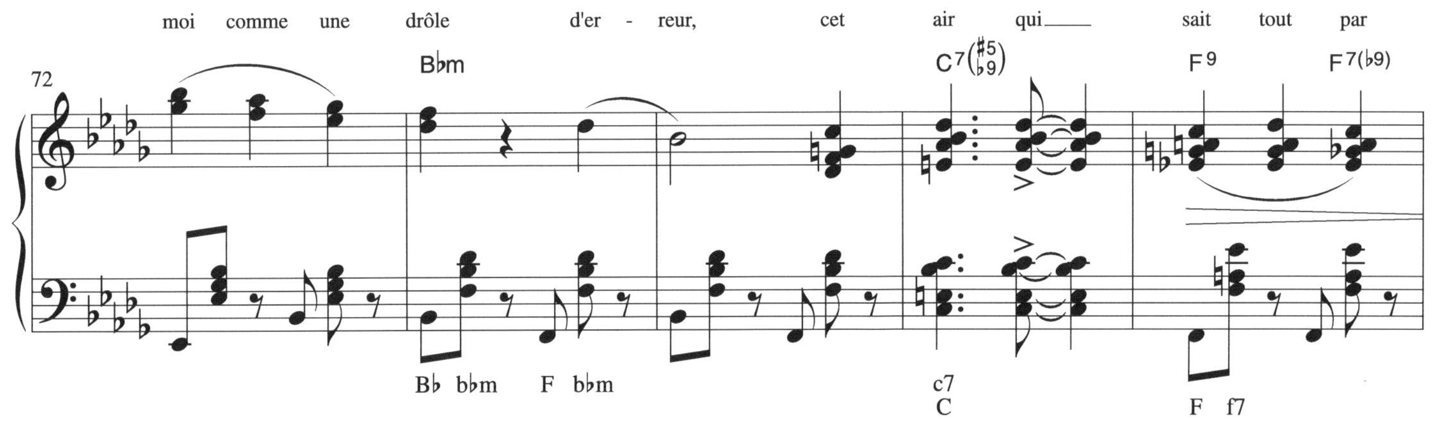
moi comme une drôle d'er - reur, cet air qui sait tout par
Bbm C7(#5 b9) F9 F7(b9)
72
Bb bbm F bbm c7 C F f7

cœur.
Special Chorus
77
B♭m6
B♭m
/A
/A♭
mf
B♭ b♭m
B♭
B♭ b♭m
A b♭m
A♭ b♭m
82
/G
B♭m
E♭m
G b♭m
B♭ b♭m F b♭m
E♭ e♭m B♭ e♭m
87
F7
G♭7(♯11)
F7
G♭7(♯11)
F7
3
3
3
3
f7
F
c7
F♯
f7
F
c7
F♯
F f7
92
B♭m
B♭7
B7(♯11)
f
C f7
B♭ b♭m F b♭m
b♭7
B♭
f7
B
97
B♭7
B7(♯11)
B♭7
B7(♯11)
B♭7
b♭7
B♭
f7
B
b♭7
B♭
f7
B
b♭7
B♭

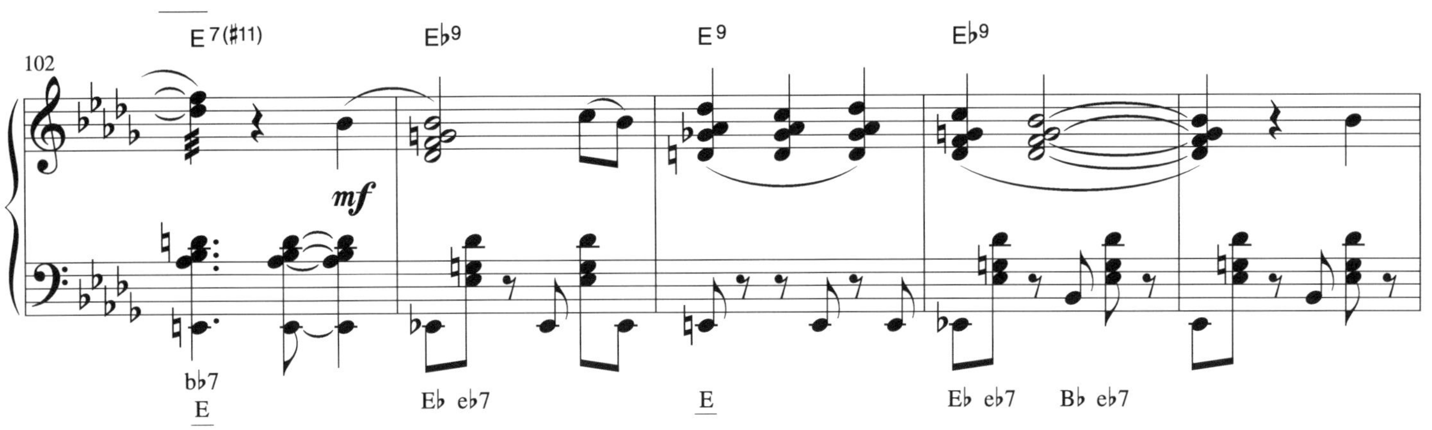

E7(♯11)
E♭9
E9
E♭9
102
mf
b♭7
E
E♭ e♭7
E
E♭ e♭7
B♭ e♭7

G♭9
F9
Cm7(♭5)
F7
107
F♯
F f7
C e♭m
F f7

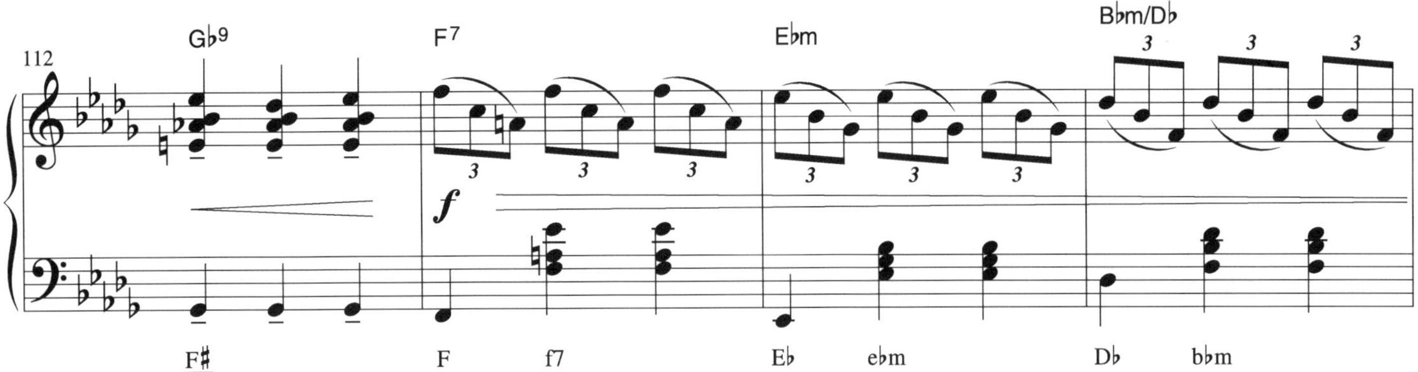

G♭9
F7
E♭m
B♭m/D♭
112
f
F♯
F f7
E♭ e♭m
D♭ b♭m

Refr. 2: Pa - dam…
Pa - dam…
Pa - dam…
Des "Je
F/C
B♭madd2
116
mp
C f
B♭ b♭m F
B♭ b♭m

t'aime" de qua - tor - ze juil - let. Pa - dam… Pa -
B♭m G♭9 F9
121
B♭ b♭m F b♭m F♯ F f7 F f7 C f7 F
dam… Pa - dam… Des "tou - jours" qu'on a - chète au ra -
G♭9 F9 G♭9 F7
126
F♯ F F♯ C f7 F f7
bais. Pa - dam… Pa - dam… Pa - dam…
B♭m6 B♭madd2 /A /A♭
131
B♭ b♭m F B♭ A A♭
Des "veux - tu, en voi - là" par pa - quets, et tout
/G B♭9 A9 B♭9 E7(♭9) E♭m7
136
f
G F b♭7 B♭ A B♭ b♭7 B♭ E E♭ e♭m B♭ e♭m

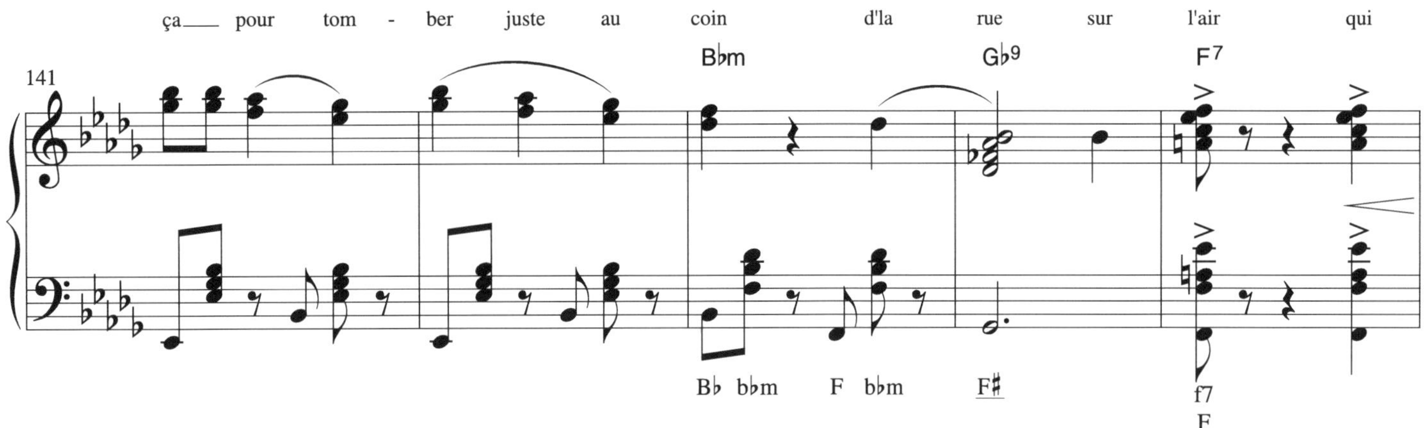

2. Il dit: "Rappelle-toi tes amours,
rapelle-toi puisque c'est ton tour;
y'a pas d'raison que tu n'pleures pas
avec tes souvenirs sur les bras."
Et moi je revois ceux qui restent,
mes vingt ans font battre tambour.
Je vois s'entrebattre des gestes,
toute la comédie des amours
sur cet air qui va toujours.

Schluss-Refrain
Padam ... Padam ... Padam ...
Écoutez le chahut qu'il me fait
Padam ... Padam ... Padam ...
comme si tout mon passé défilait.
Padam ... Padam ... Padam ...
Faut garder du chagrin pour après,
j'en ai tout un solfège sur cet air qui bat,
qui bat comme un cœur de bois.

Milord

Musik: Marguerite Monnot
Text: Georges Moustaki
Arr.: Hans-Günther Kölz

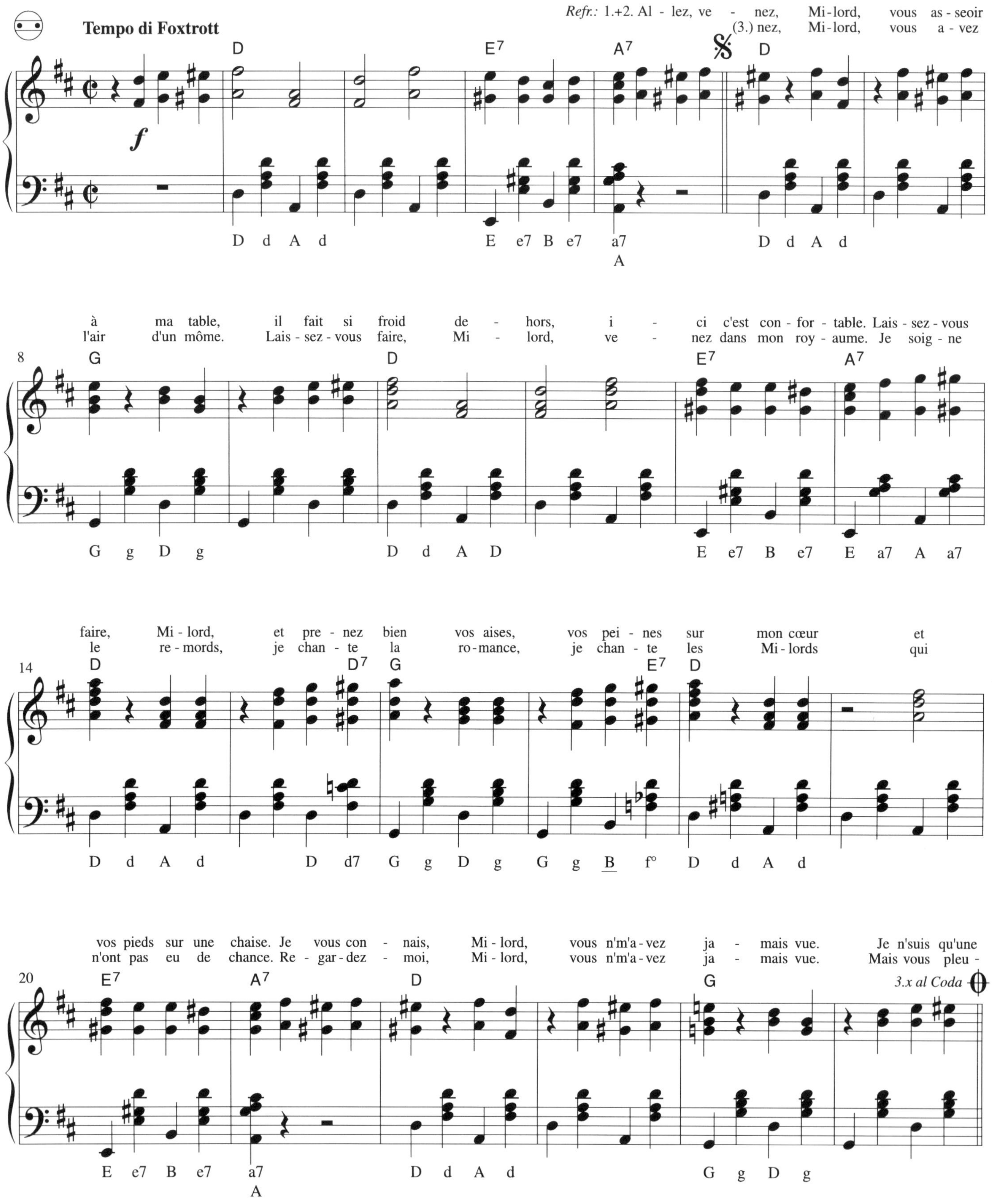

Tempo di Foxtrott

Refr.: 1.+2. Al - lez, ve - nez, Mi - lord, vous as - seoir
(3.) nez, Mi - lord, vous a - vez

D E7 A7 D

f

D d A d E e7 B e7 a7 A D d A d

à ma table, il fait si froid de - hors, i - ci c'est con - for - table. Lais - sez - vous
l'air d'un môme. Lais - sez - vous faire, Mi - lord, ve - nez dans mon roy - aume. Je soig - ne

8 G D E7 A7

G g D g D d A D E e7 B e7 E a7 A a7

faire, Mi - lord, et pre - nez bien vos aises, vos pei - nes sur mon cœur et
le re - mords, je chan - te la ro - mance, je chan - te les Mi - lords qui

14 D D7 G E7 D

D d A d D d7 G g D g G g B f° D d A d

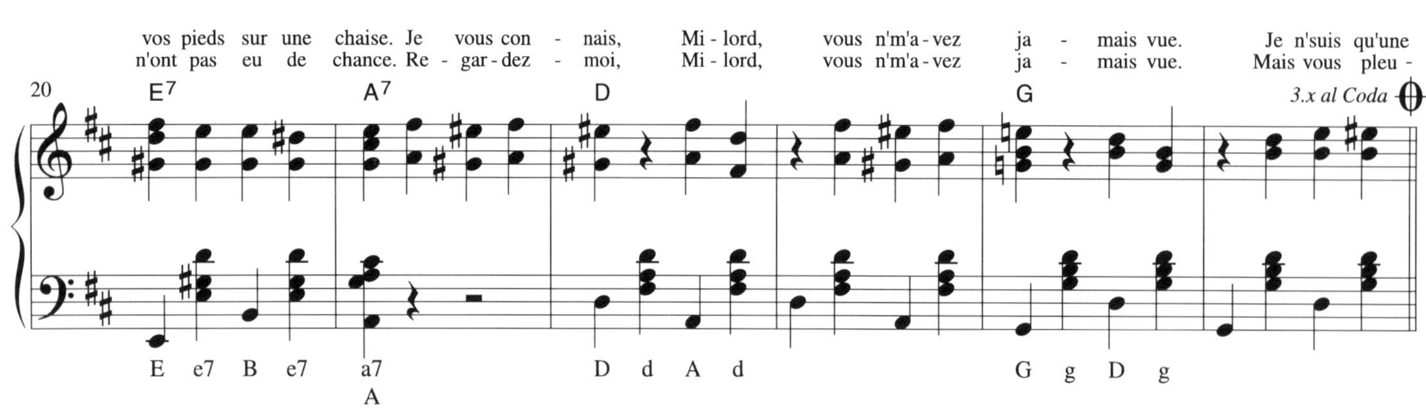

1.+2. fille du port, une om - bre de la rue.
Couplet: 1. Pour -
2. Dire
26
D
G
mf
D d A d G g D g
tant j'vous ai frô - lé quand vous pas - siez hi - er. Vous n'é - tiez pas peu fier. Dame!
qu'il suf - fit par - fois, qu'il y ait un na - vire pour que tout se dé - chire, quand
Dm
32
D dm A dm
Le ciel vous com - blait, vo - tre fou - lard de soie flot - tant sur vos é - paules. Vous
le na - vire s'en va. Il emme - nait a - vec lui la douce aux yeux si tendres qui
C6
B♭6
38
C am G am B♭ gm F gm
a - viez le beau rôle, on au - rait dit le roi. Vous mar - chiez en vain - queur au
n'a pas su comp - rendre qu'elle bri - sait vo - tre vie. L'a - mour ça fait pleu - rer com -
44
B♭ gm F gm D dm A dm

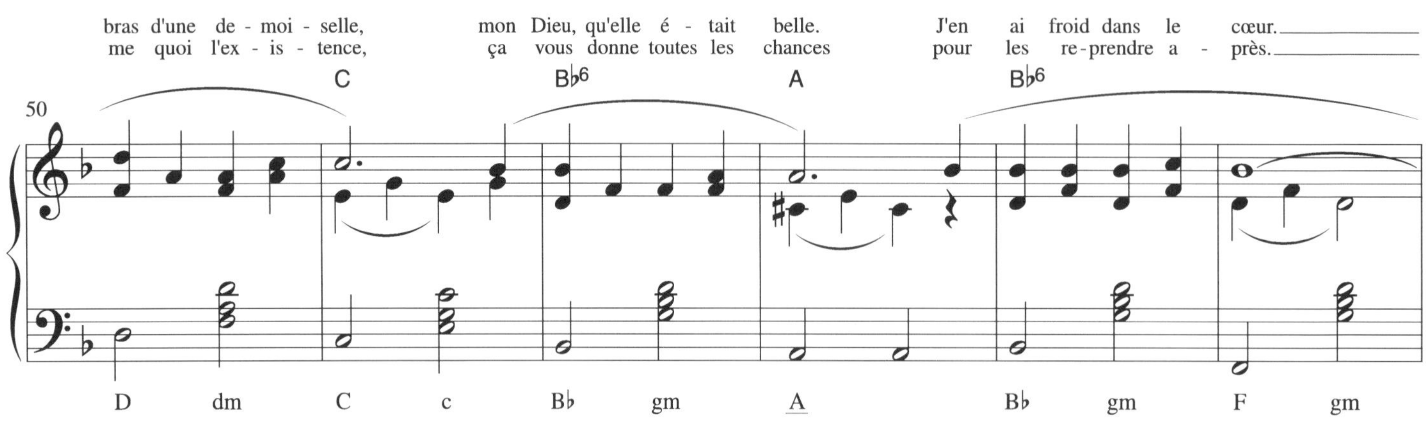
bras d'une de - moi - selle, mon Dieu, qu'elle é - tait belle. J'en ai froid dans le cœur.
me quoi l'ex - is - tence, ça vous donne toutes les chances pour les re - prendre a - près.
C
B♭6
A
B♭6
50
D dm C c B♭ gm A B♭ gm F gm

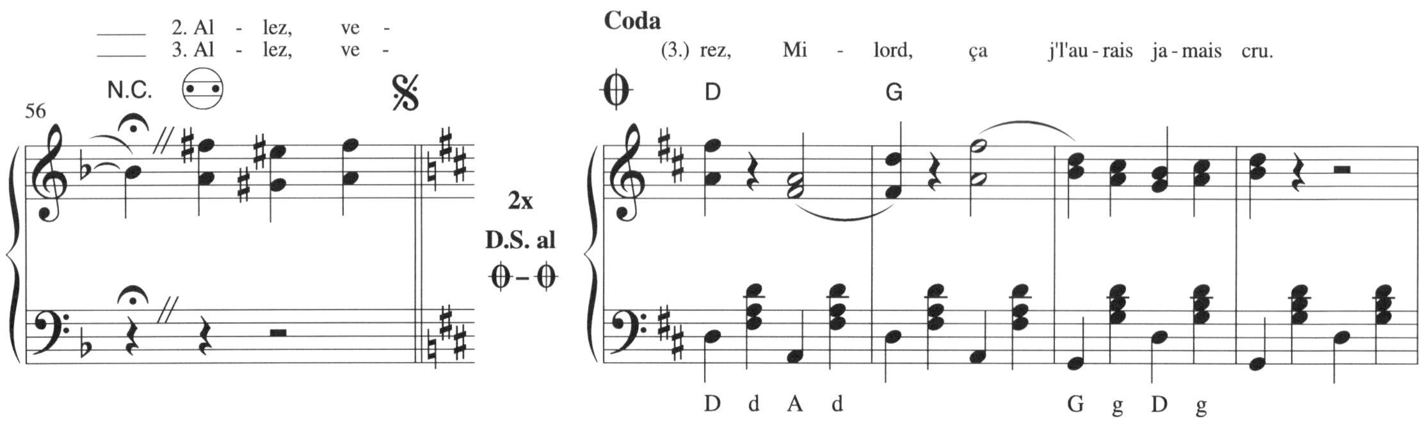
2. Al - lez, ve -
3. Al - lez, ve -
Coda
(3.) rez, Mi - lord, ça j'l'au - rais ja - mais cru.
N.C.
D
G
56
2x
D.S. al
D d A d G g D g

61
N.C.
D
G
mf cédez
poco a poco accelerando
A D d A d G g D g

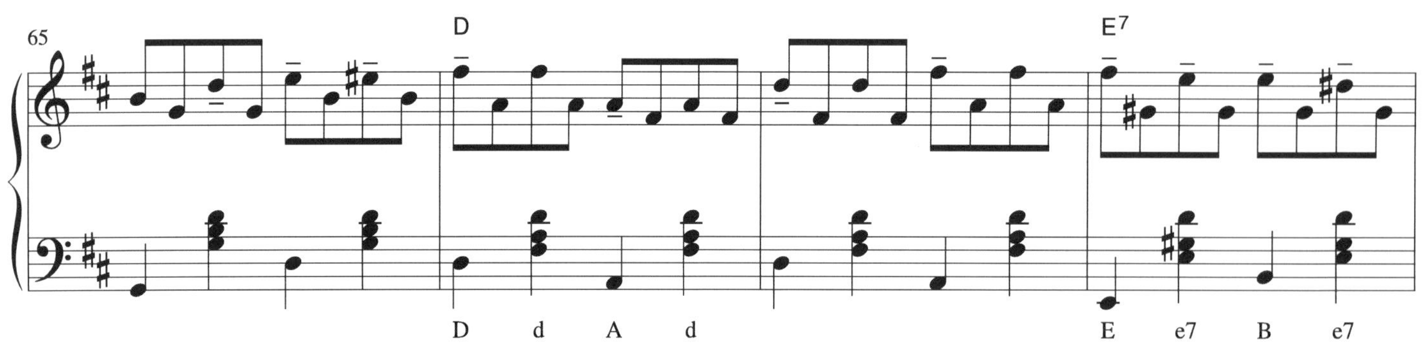
65
D
E7
D d A d E e7 B e7

Parlé et chanté
Eh, bien voyons, Milord, souriez-moi, Milord,
mieux que ça! Un petit effort ... voilà, c'est ça!
Allez, riez, Milord, allez, chantez, Milord!

Ta da da … la la la …
Mais oui, dansez, Milord, ta da da ...
Bravo, Milord … ta da da …
Enore, Milord … ta da da …

La vie en rose

Musik: Louiguy
Text: Edith Piaf
Arr.: Hans-Günther Kölz

mour, des mots de tous les jours et ça m'fait quel - que cho - se.
Bm7 D/E Bm7 E7 B♭9 A6 F♯m7 F9 E7
14
d e7 A♯ A F♯ F E
B E
Il est en - tré dans mon cœur, u - ne part de bon - heur, dont je con - nais la cau - se.
A Amaj7 G/A A7 E♭9(♯11) Dmaj9 D6
17
mf
a c♯m g a7 a7 f♯m bm
A A A A D♯ D D
C'est lui pour moi, moi pour lui, dans la vie. Il me l'a dit, m'a ju - ré pour la vi - e.
D9/13 D♯°7 A6 E/F♯ F♯7 A/B B9 Bm7 Dmaj7/E E7(♭9)
21
f
D D♯ E F♯ a b7 d d e7
B B B E E
loco
Et dès que je l'a - per - çois a - lors je sens en moi mon cœur qui bat.
A Amaj7 D/E E9 B♭9 C♯m7 C9(♯11) Bm7 E7
25
mf
mp
a c♯m d e7 A♯ C♯ C B e7
A A E E E

Special Chorus
29
A Amaj7 C♯m7 C7
a c♯m e c7
A A C♯ C
32
Bm7 F7 E7(♭9) Bm /A♯ /A /G♯
mf
d f7 f° bm bm bm bm
B F E B A♯ A G♯
35
Bm7 E7 B♭7(♯11) C♯m7 C7 Bm7 E13(♭9) A6
d e7 e7 e c7 d e7 a
B E A♯ C♯ C B E A
38
Amaj7 G/A A7 E♭7(♯11) Dmaj7
c♯m g a7 a7 f♯m
A A A D♯ D
41
D9 D♯°7 A6/E E/F♯ F♯7 A/B B9
f
D D♯ E F♯ a b7
B B

Refr. 2: Quand il me prend dans ses bras, il me par - le tout
Bm7 Dmaj7/E D♭ D♭maj7
44
fp
f
bas je vois la vie en ro - - - se. Il me dit des mots d'a -
Fm11 E9(♯5) E♭m7 A♭7 E♭m7
48
mour, des mots de tous les jours et ça m'fait quel - que cho - se.
A♭7 E♭m7 A♭7 D9 D♭6 B♭m7 A9 A♭7
51
Il est en - tré dans mon cœur, u - ne part de bon - heur, dont je con - nais la
D♭ D♭maj7 C♭/D♭ D♭7 D♭9(♯5)
54

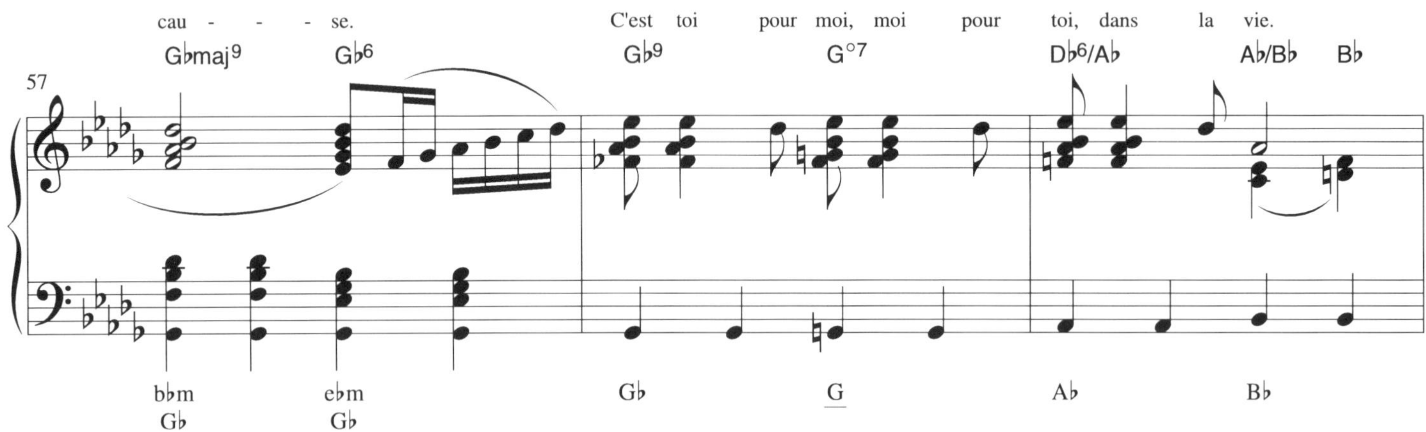

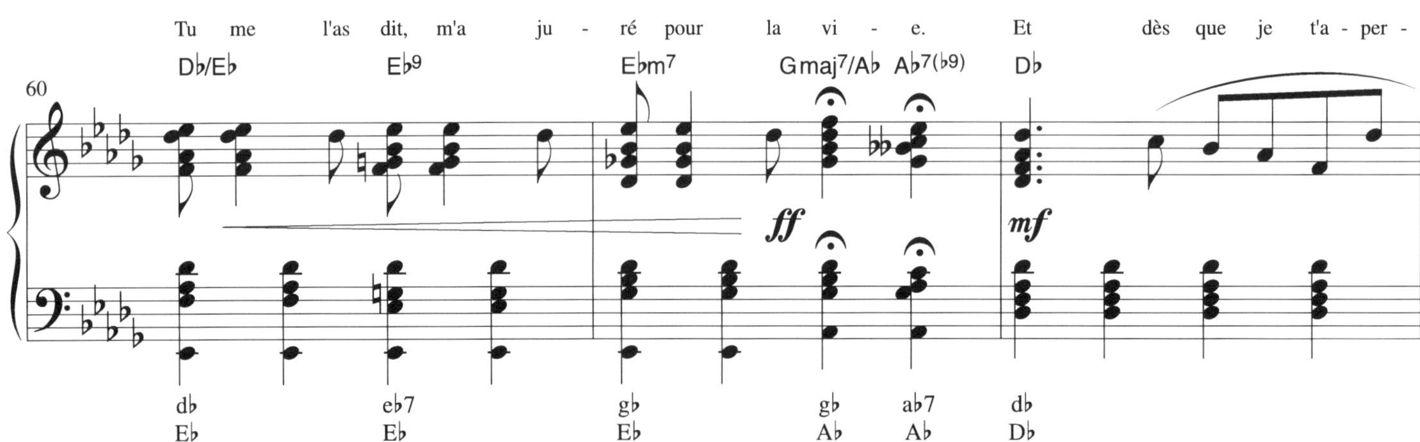

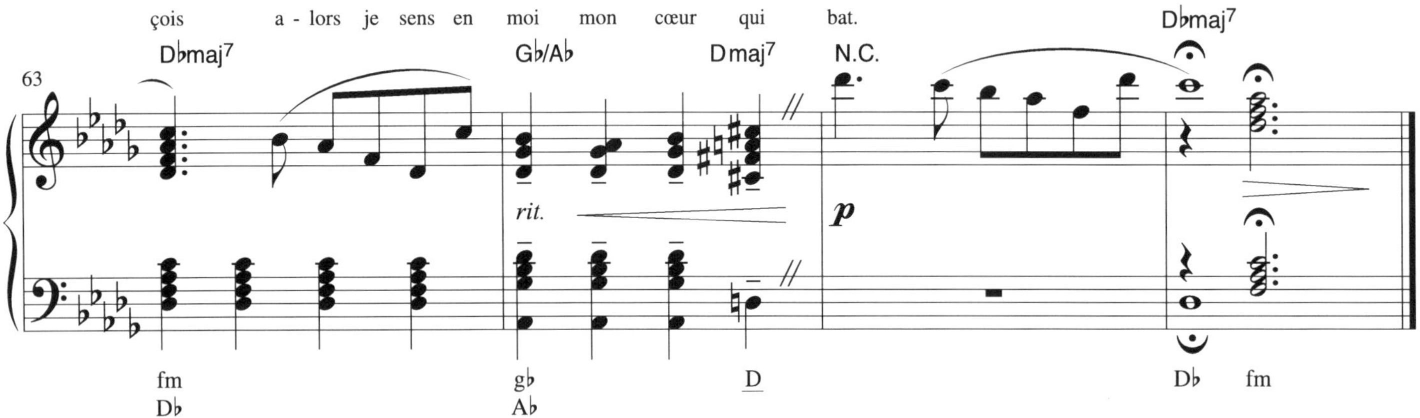

2. Des nuits d'amour à plus finir,
un grand bonheur qui prend sa place.
Les ennuis, les chagrins s'effacent,
heureux, heureux à en mourir.

La foule

Musik: Angel Cabral
Spanischer Originaltext: Enrique Dizeo
Französischer Text: Michel Rivgauche

Arr.: Hans-Günther Kölz

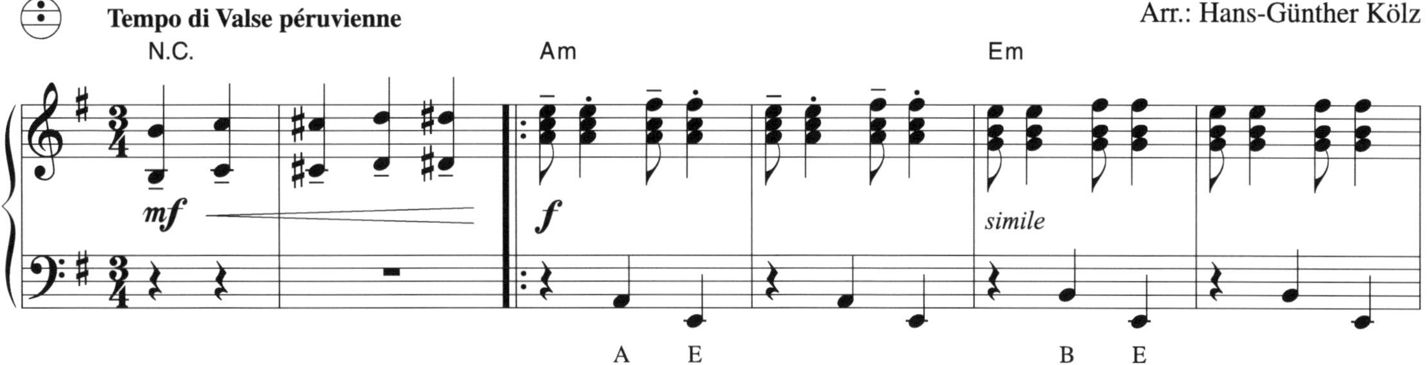

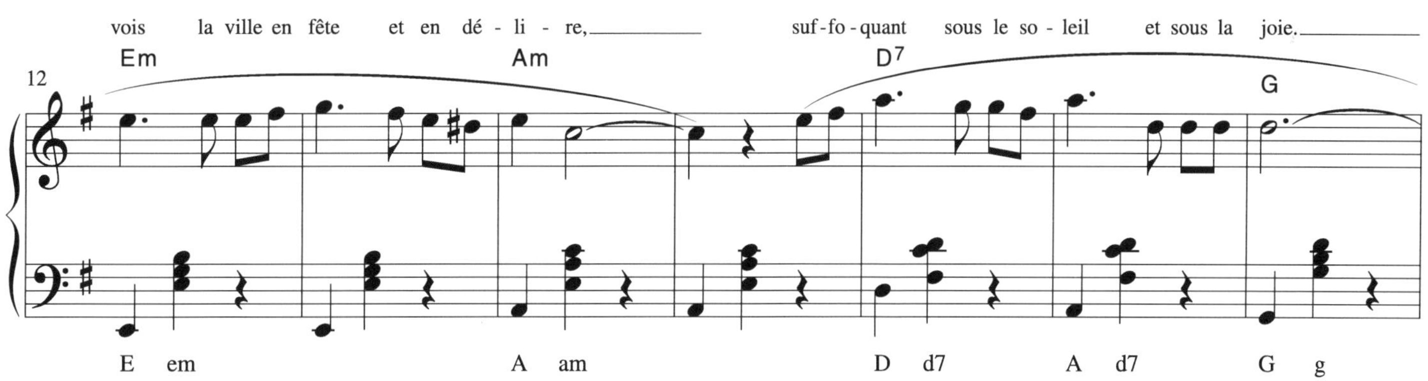

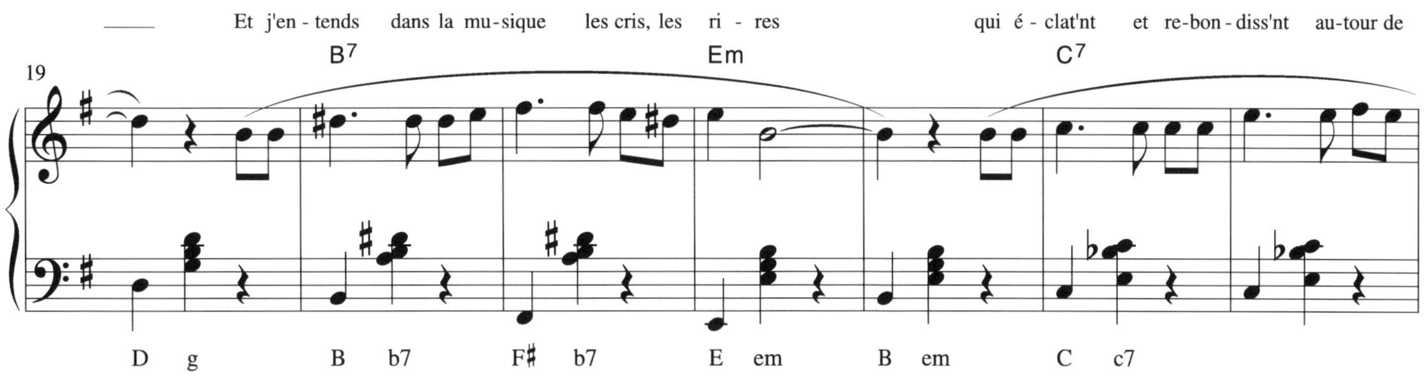

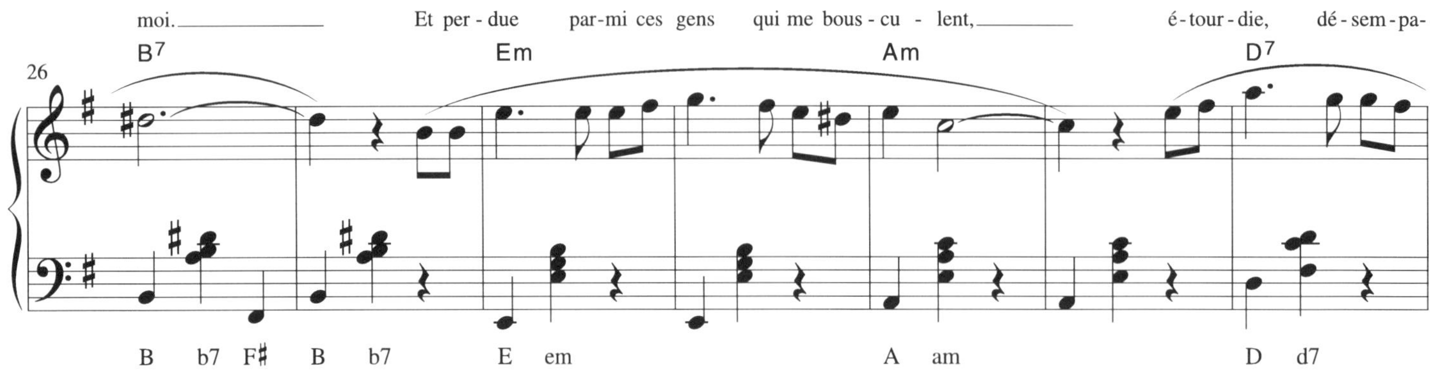
moi. Et per - due par - mi ces gens qui me bous - cu - lent, é - tour - die, dé - sem - pa-
B7 Em Am D7
26
B b7 F♯ B b7 E em A am D d7

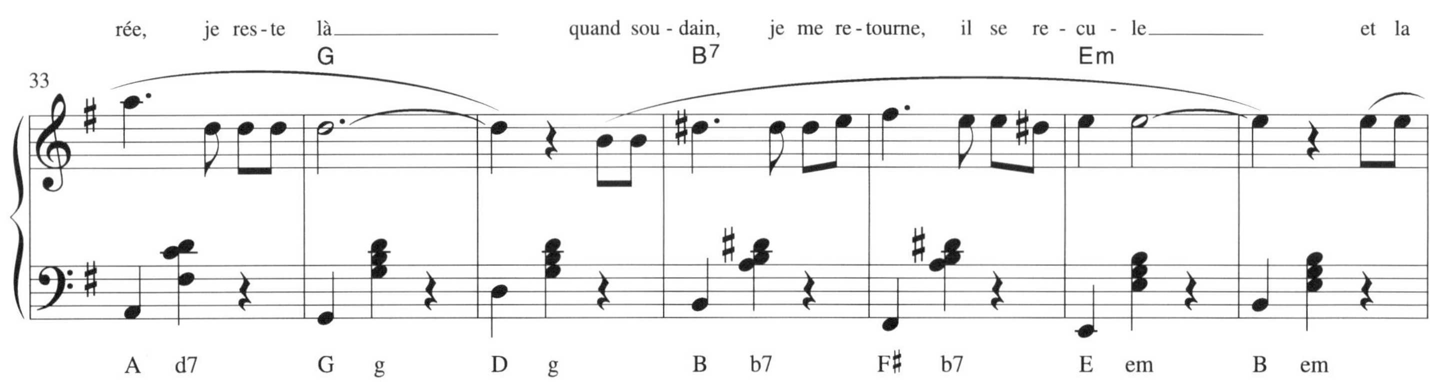
rée, je res - te là quand sou - dain, je me re - tourne, il se re - cu - le et la
G B7 Em
33
A d7 G g D g B b7 F♯ b7 E em B em

Refr.:
foule vient me je - ter en - tre ses bras. Em - por - tés par la fou - le qui nous traî - ne, nous en-
fou - le qui nous traî - ne, nous en-
C7 B7 Em D7
40
mf
c7 b7 E B C B G F♯ E A d7 D d7
C B

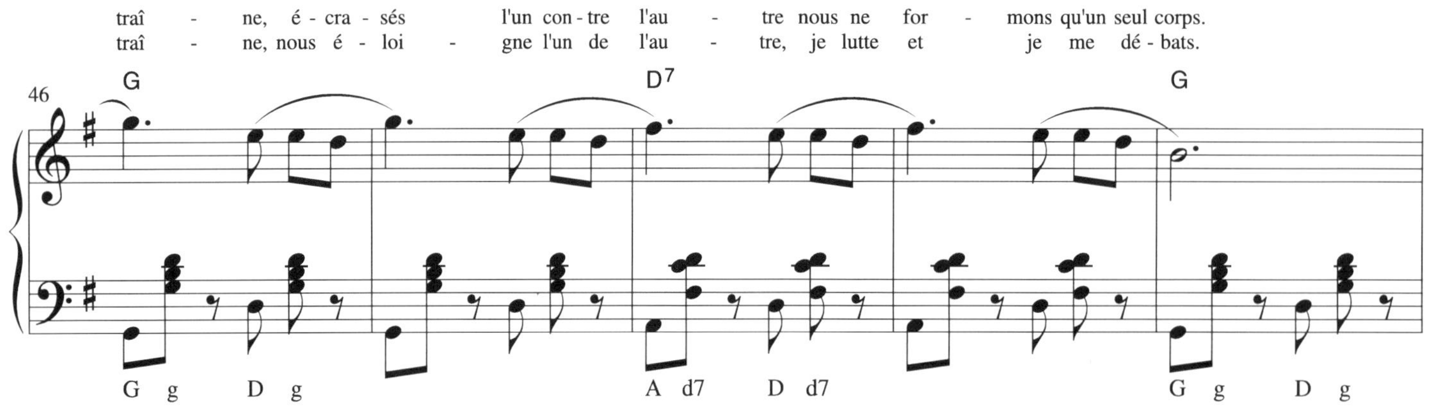
traî - ne, é - cra - sés l'un con - tre l'au - tre nous ne for - mons qu'un seul corps.
traî - ne, nous é - loi - gne l'un de l'au - tre, je lutte et je me dé - bats.
G D7 G
46
G g D g A d7 D d7 G g D g

Et le flot sans ef - fort nous pousse, en - chaî - nés l'un et l'au - tre, et nous lais - se tous
Mais le son de sa voix s'é - touf - fe dans les rires des au - tres. Et je crie de dou -
B7
Em
51
mp
3
g
G
F♯ b7 B b7 E em B em
deux é - pa-nouis, en - i - vrés et heu - reux. En - traî - nés par la fou - le qui s'é -
leur, de fu - reur et de rage et je pleure. Et traî - nés par la fou - le qui s'é -
C7
B7
D7
56
C c7 G c7 B b7 b7
B
A d7 D d7
lan - ce et qui dan - se u - ne fol - le fa - ran - do - le, nos deux mains res - tent sou - dées.
lan - ce et qui dan - se u - ne fol - le fa - ran - do - le je suis em - por - tée au loin.
G
D7
G
61
G g D g A d7 D d7 G g D g
Et par - fois sou - le - vés nos deux corps en - la - cés s'en - vo - lent et re - tom - bent tous
Et je cri - spe mes poings, mau - dis - sant la foule qui me vo - le l'homme qu'elle m'a - vait don -
B7
Em
67
3
g
G
F♯ b7 B b7 E em B em

deux é-pa-nouis, en-i-vrés et heu-reux.
né et que je n'ai ja-mais re-trou-
C7
B7
Am
Em
72
f
simile
C c7 G c7
B b7
A E
B E

1.
B7
Em N.C.
77
mf
F♯ B
E

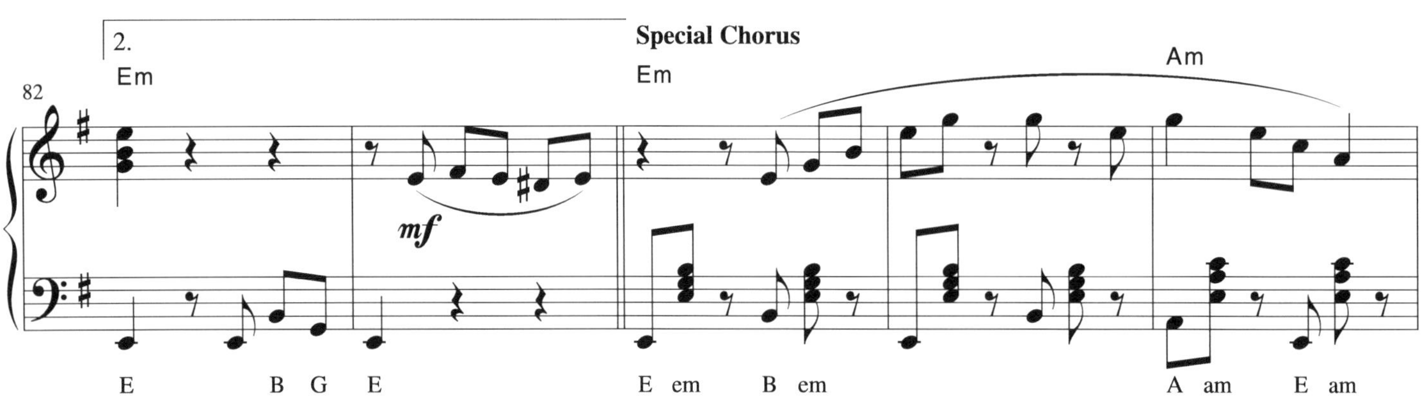
2.
Special Chorus
Em
Em
Am
82
mf
E B G E
E em B em
A am E am

D7
G
87
3
3
D d7 A d7
G g D g

92
B7
Em
C7
F♯ b7 B b7
E em B em
C c7 G c7
97
B7
Em
B b7
E em B em
101
Am
D7
A am E am
D d7 A d7
106
G
B7
Em
G g D g
F♯ b7 B b7
E em B em
111
C7
B9
B7(♭9)
Em
C c7 G c7
B b7
E em B em em
E

116
D7 G D7
A d7 D d7 G g D g A d7 D d7
121
G B7
G g D g F♯ b7 B b7
126
Em C7
E em B em C c7 G c7
130
B7 D7 G
f
B b7 A d7 D d7 G g D g
135
D7 G
A d7 D d7 G g D g g
G

2. Et la joie éclaboussée par son sourire
me transperce et rejaillit au fond de moi.
Mais soudain je pousse un cri parmi les rires
quand la foule vient l'arracher d'entre mes bras!

Sous le ciel de Paris

Musik: Hubert Giraud
Text: Jean Drejac
Arr.: Hans-Günther Kölz

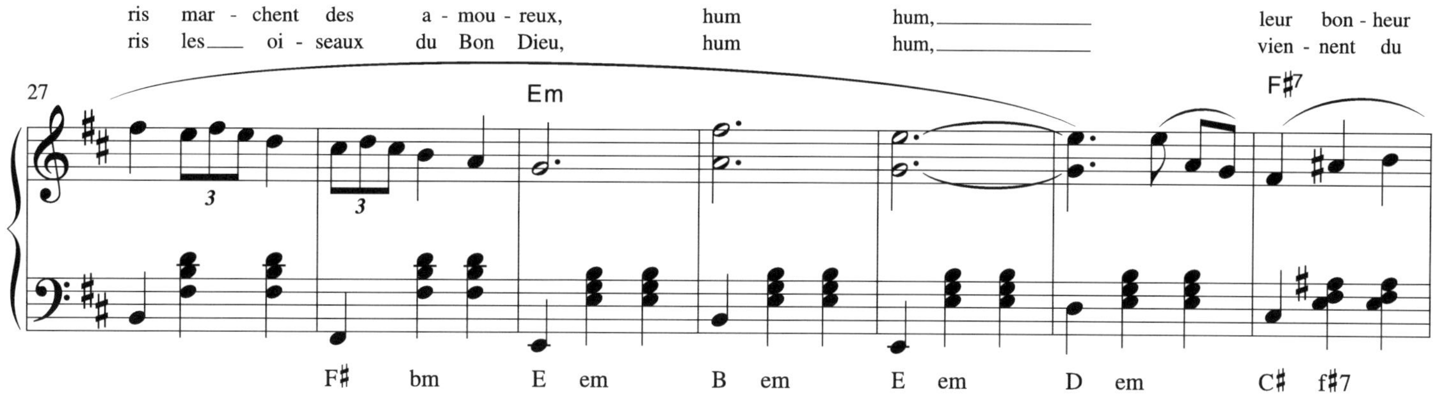
ris mar - chent des a - mou - reux, hum hum, leur bon - heur
ris les oi - seaux du Bon Dieu, hum hum, vien - nent du
27
Em
F♯7
F♯ bm E em B em E em D em C♯ f♯7

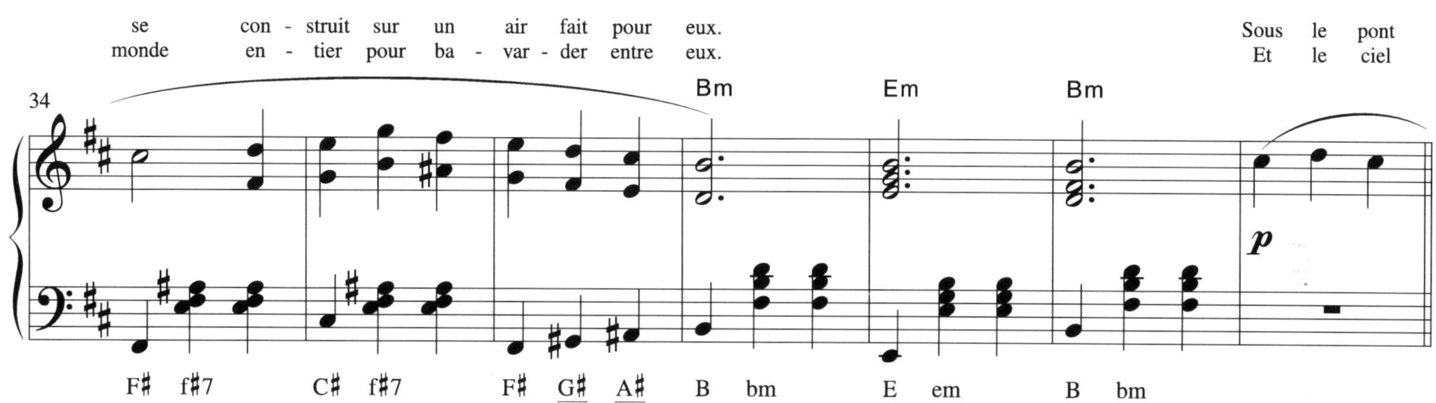
se con - struit sur un air fait pour eux. Sous le pont
monde en - tier pour ba - var - der entre eux. Et le ciel
34
Bm
Em
Bm
p
F♯ f♯7 C♯ f♯7 F♯ G♯ A♯ B bm E em B bm

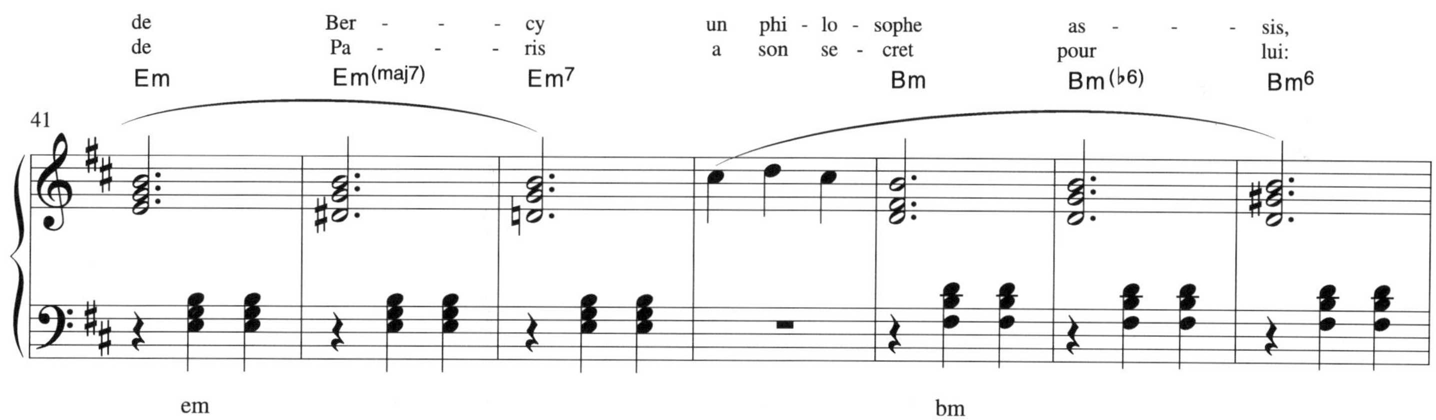
de Ber - - - cy un phi - lo - sophe as - - - sis,
de Pa - - - ris a son se - cret pour lui:
Em
Em(maj7)
Em7
Bm
Bm(♭6)
Bm6
41
em
bm

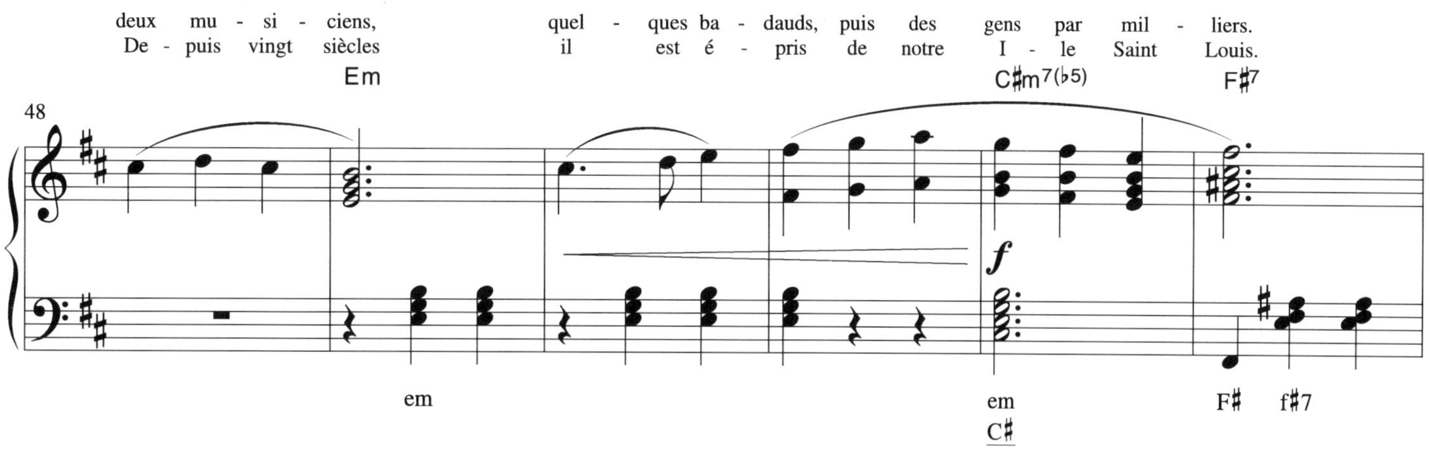
deux mu - si - ciens, quel - ques ba - dauds, puis des gens par mil - liers.
De - puis vingt siècles il est é - pris de notre I - le Saint Louis.
Em
C♯m7(♭5)
F♯7
48
f
em
em
C♯
F♯ f♯7

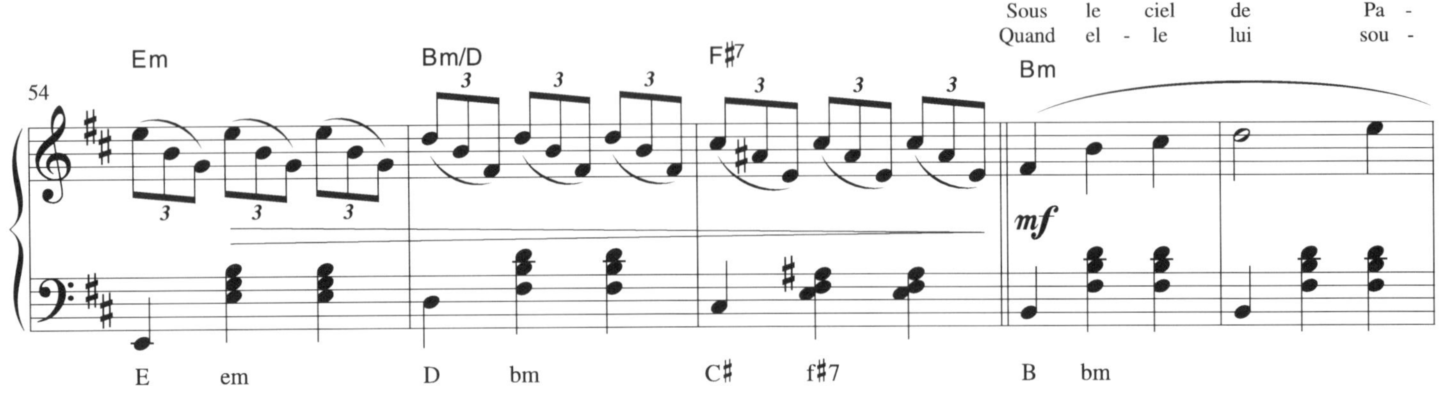
Sous le ciel de Pa -
Quand el - le lui sou -
Em
Bm/D
F♯7
Bm
54
mf
E em
D bm
C♯ f♯7
B bm

ris jus - qu'au soir vont chan - ter, hum hum,
rit il met son ha - bit bleu, hum hum,
Em
B9/F♯
Em7/G
Em7/D
59
F♯ bm
E em
F♯ b7
G em
D em

l'hym - ne d'un peu - ple é - pris de sa vieil - le ci - té. Près
quand il pleut sur Pa - ris c'est qu'il
F♯7
B
65
f
C♯ f♯7
F♯ f♯7
B b
F♯ b
b
B

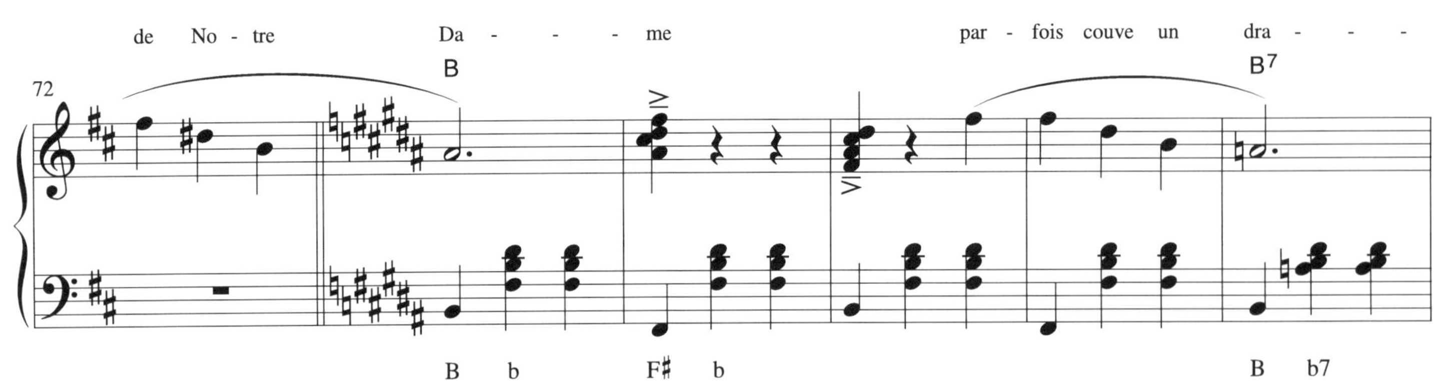
de No - tre Da - - - me par - fois couve un dra - - -
B
B7
72
B b
F♯ b
B b7

me, oui mais à Pa - na - - - - me
E
78
F♯ b7 E e B e

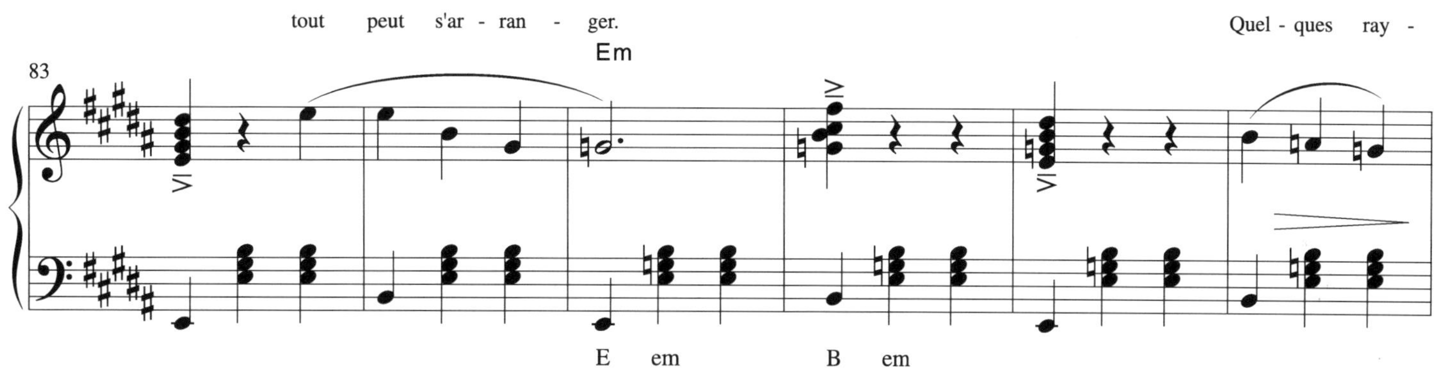
tout peut s'ar - ran - ger. Quel - ques ray -
Em
83
E em B em

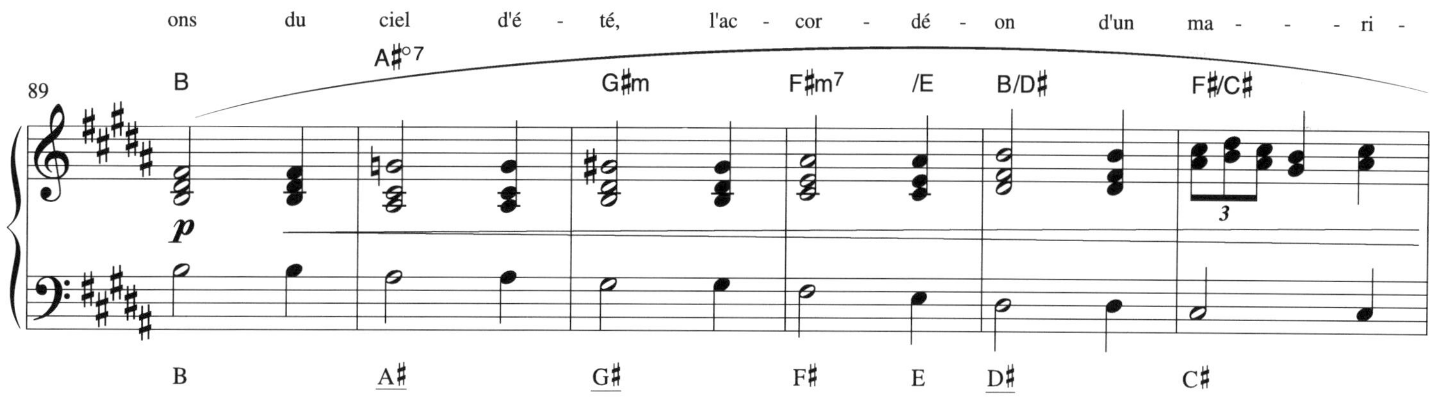
ons du ciel d'é - té, l'ac - cor - dé - on d'un ma - - - ri -
B A♯°7 G♯m F♯m7 /E B/D♯ F♯/C♯
89
p
B A♯ G♯ F♯ E D♯ C♯

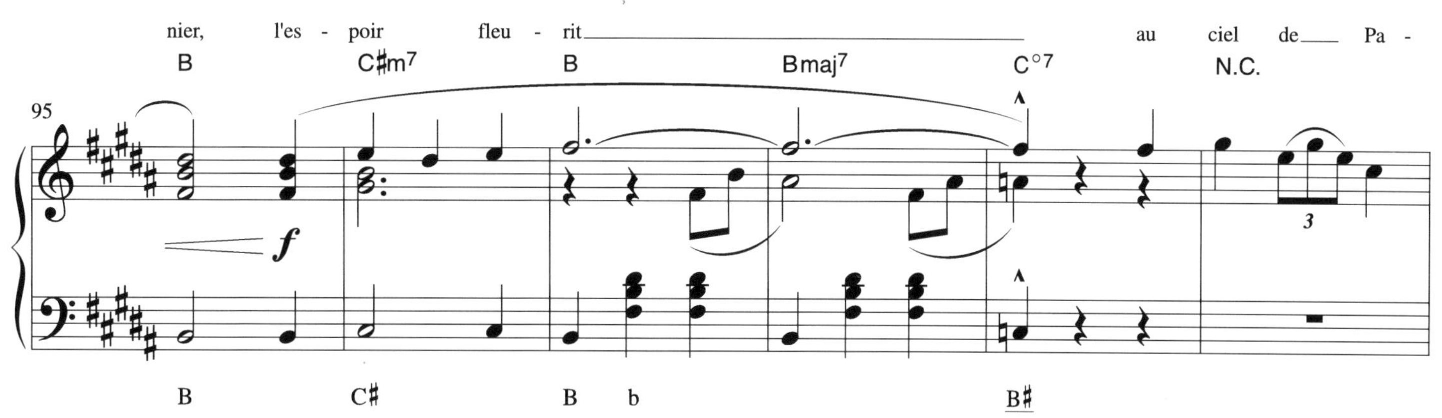
nier, l'es - poir fleu - rit au ciel de Pa -
B C♯m7 B Bmaj7 C°7 N.C.
95
f
B C♯ B b B♯

ris.
F♯
G♯m7
A°7
F♯/A♯
101
p
f
D.S. al
F♯
G♯
A
A♯

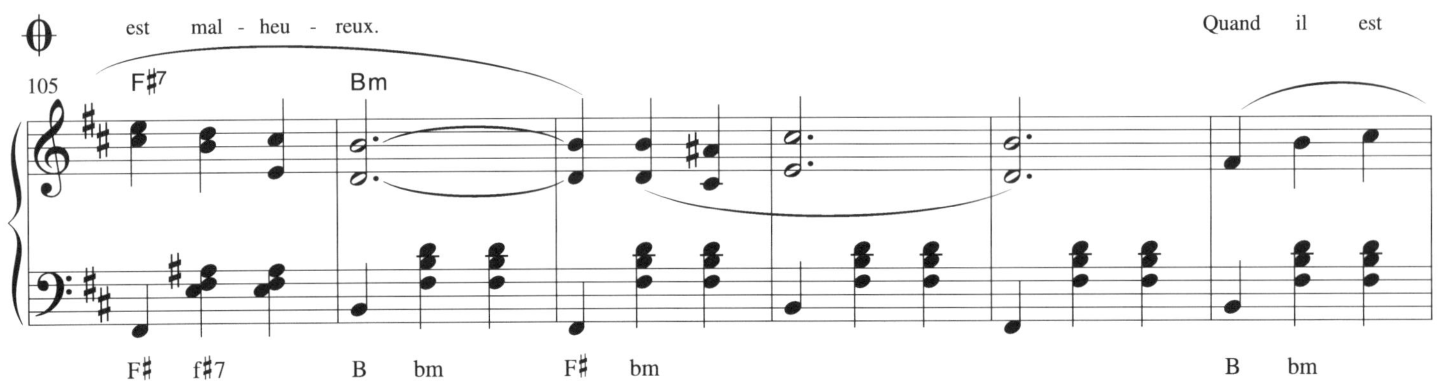
est mal - heu - reux.
Quand il est
105
F♯7
Bm
F♯ f♯7
B bm
F♯ bm
B bm

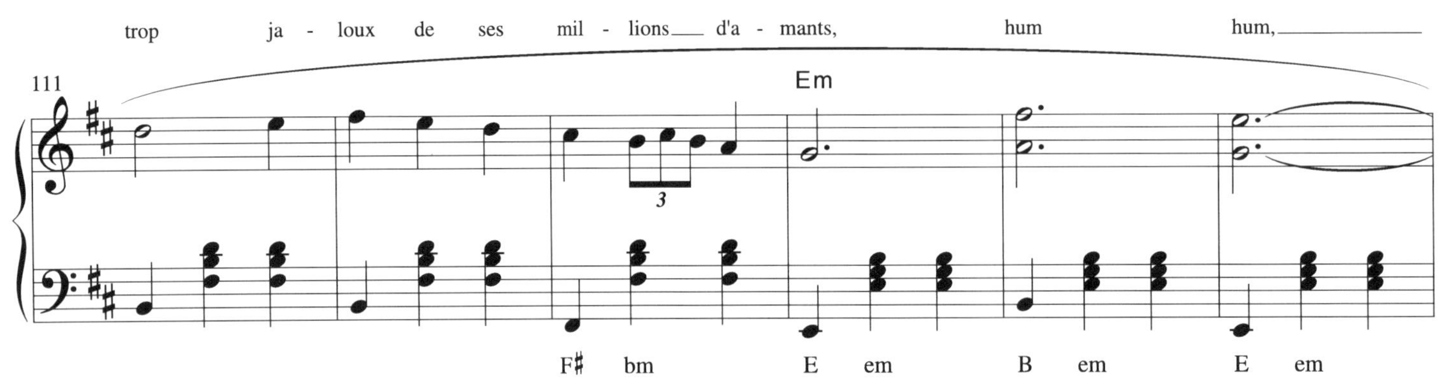
trop ja - loux de ses mil - lions d'a - mants,
hum
hum,
111
Em
3
F♯ bm
E em
B em
E em

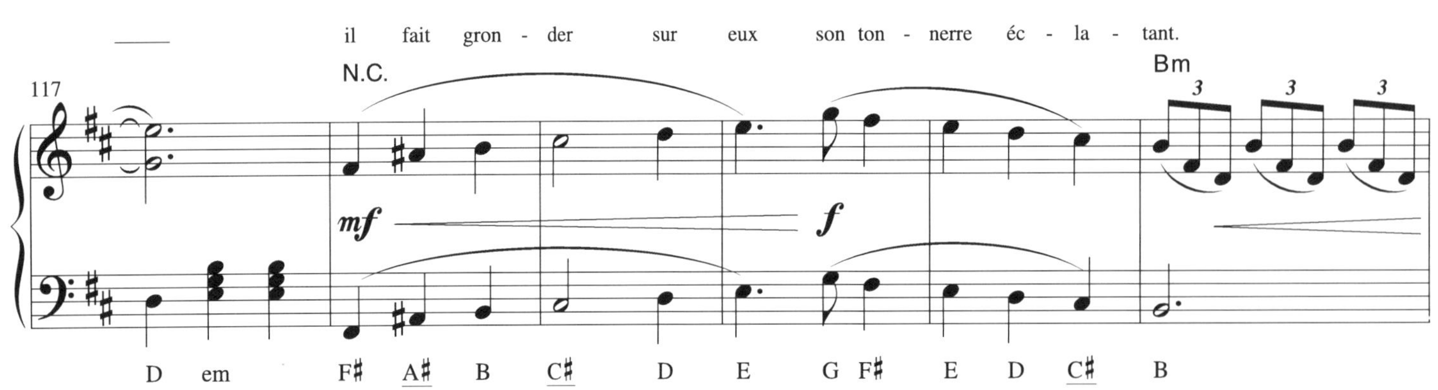
il fait gron - der sur eux son ton - nerre éc - la - tant.
117
N.C.
Bm
mf
f
D em
F♯ A♯ B C♯ D E G F♯ E D C♯ B

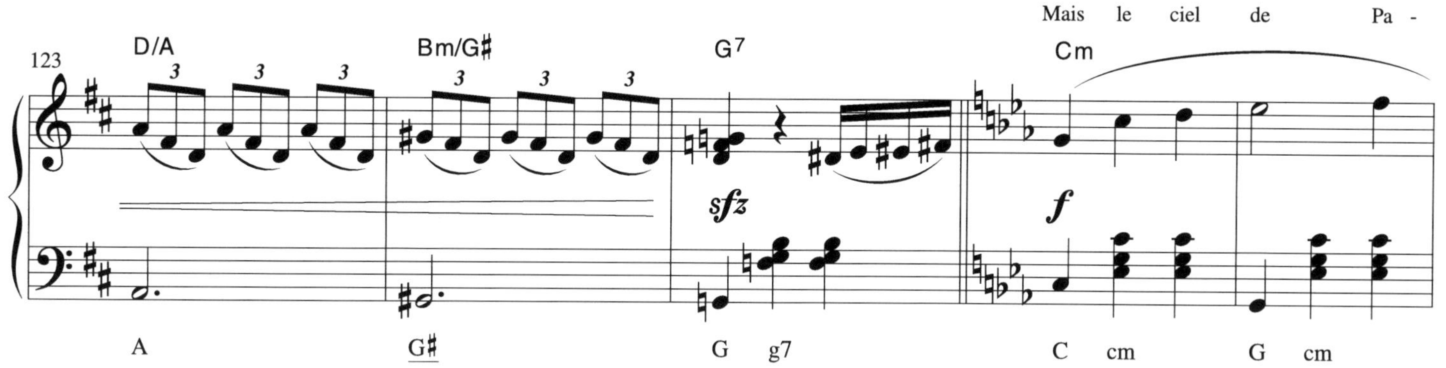
Mais le ciel de Pa -
123
D/A
Bm/G♯
G7
Cm
sfz
f
A
G♯
G g7
C cm
G cm

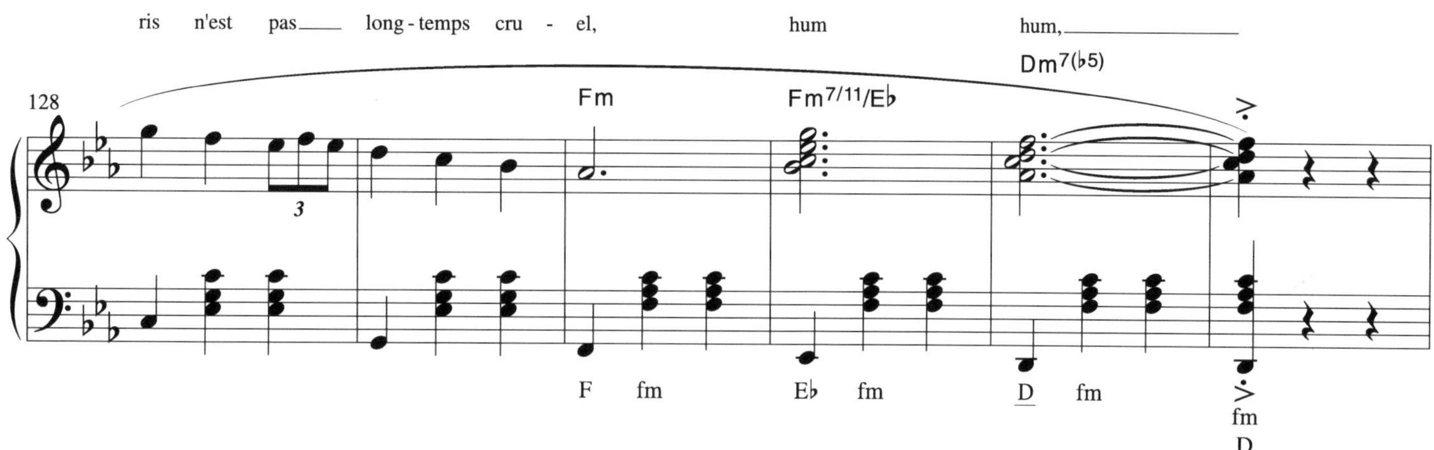
ris n'est pas long - temps cru - el, hum hum,
128
Fm
Fm7/11/E♭
Dm7(♭5)
F fm
E♭ fm
D fm
fm
D

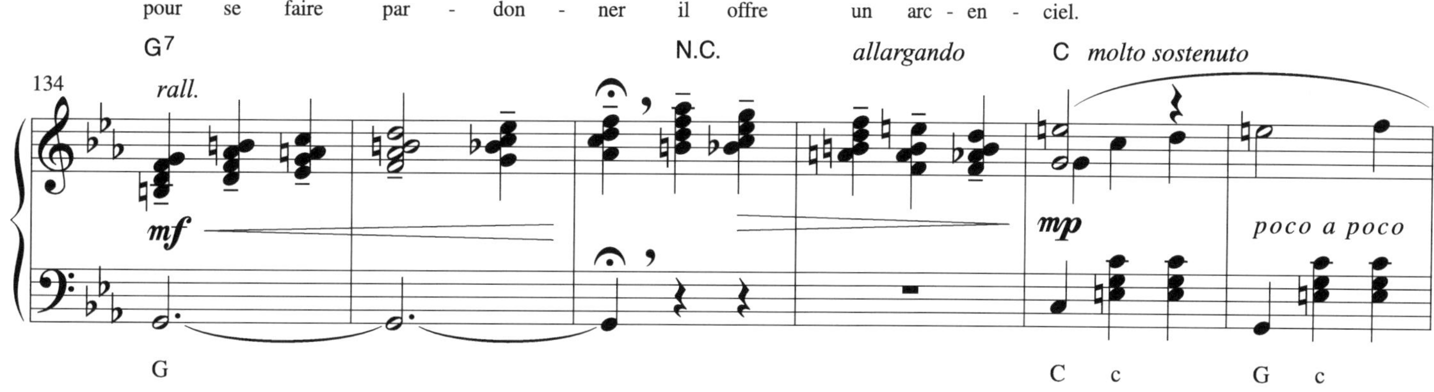
pour se faire par - don - ner il offre un arc - en - ciel.
134
G7
rall.
N.C.
allargando
C molto sostenuto
mf
mp
poco a poco
G
C c
G c

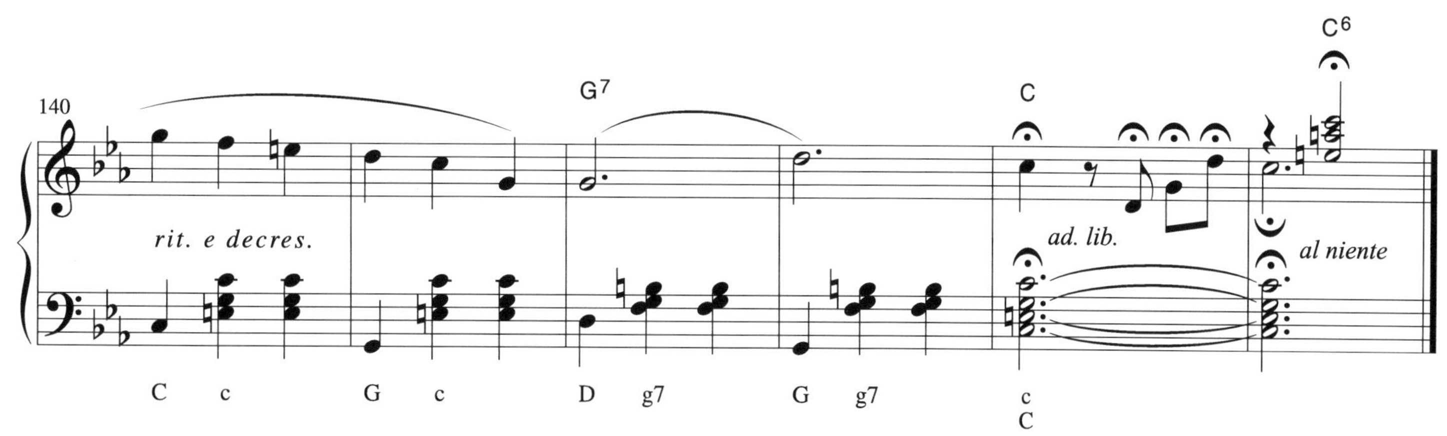
140
G7
C
C6
rit. e decres.
ad. lib.
al niente
C c
G c
D g7
G g7
c
C

Walzermelodien

An der schönen blauen Donau · Der Weg zum Herzen · Donauwellen · Fascination · Hereinspaziert · Ich tanze mit dir in den Himmel hinein · Kaiserwalzer · Machen wir's den Schwalben nach · Mädchen gibt es wunderfeine · Moon River · Plaisir d'amour …

VHR 1775 / ISBN 978-3-920470-86-3

Tangomelodien

Addio Donna Grazia · A Media Luz · Am Rio Negro · Capri-Fischer · Du schwarzer Zigeuner · Egon · Eine Nacht in Monte Carlo · El Choclo · Es muss was Wunderbares sein … · Florentinische Nächte · Gitarrenserenade · In einer kleinen Konditorei …

VHR 1776 / ISBN 978-3-920470-87-0

Fox & Swing

Ain't She Sweet · American Patrol · Bei mir bist du schön · Blue Moon · Bye Bye Blues · C'est si bon · Hallo kleines Fräulein (Gisela) · Kauf dir einen bunten Luftballon · La mer · Lullaby Of Birdland · Mackie Messer · Musik liegt in der Luft …

VHR 1777 / ISBN 978-3-920470-92-4

Musettemelodien

Bourrasque · Brise Napolitaine · Ça Gaze · Domino · Jurafahrt · Kommissar-Maigret-Theme · La Migliavacca · La petite valse · Mademoiselle de Paris · Milord · Paris Canaille · Pigalle · Reine de Musette · Retour des hirondelles · Sous le ciel de Paris · Sous les ponts de Paris …

VHR 1778 / ISBN 978-3-920470-93-1

Classics

Ach, wie so trügerisch · Alla Turca · An die Freude · Ballettmusik · Brautchor · Der Frühling · Der Vogelfänger bin ich ja · Die Moldau · Eine kleine Nachtmusik · Eurovision-Erkennungsmelodie · Für Elise · Habanera · Hochzeitsmarsch · Humoreske · Klavierkonzert Nr. 1 …

VHR 1779 / ISBN 978-3-920470-94-8

Klezmermusik

Auf dem Fluss brennt ein Feuer · Auf der Moldowanka spielt Musik · Awiglid I · Awiglid II · Awiglid III · Beim Angeln · Chosjajka · Dem fartex farborn · Der Kutscher · Die Söhne · Die Zimbel · Ein Brief aus Amerika · Freileks · Jiddischer Tanz · Jiddisches Lied …

VHR 1780 / ISBN 978-3-920470-85-6

Irish Folk Music

Am Combra Dunn · A Nation Once Again · Arthur McBride · A Soldier's Joy / The Touchstone · Colonel John Irwin · Dancingmaster / Johnny The Jumper · Danny Boy · Fiddler's Contest · Give Me Your Hand · Lonely Jig / Fair Haired Boy · Lord Mayo · Miss Murphy …

VHR 1781 / ISBN 978-3-940069-64-1

Wiener Lieder

Die Reblaus · Drunt' in der Lobau · Erst wann's aus wird sein · Fiakerlied · Heut kommen d'Engerln auf Urlaub nach Wien · I bin a stiller Zecher · I hab die schönen Maderln net erfunden · Ich kenn ein kleines Wegerl im Helenental · Ich muss wieder einmal in Grinzing sein …

VHR 1782 / ISBN 978-3-940069-65-8

Balkanmusik

Bobik Dzjour mi era · Čerkesko Horo · De-a lungul · Draculetii · Gankino Horo · Girliceanca · Graovsko Horo · Hora din Vilcea · Invirtita · Jaresch Kata · Kamenopolsko · Kato Racenica · Krivo Sadovsko · Mari Momicence · Petrunino · Sitnata · Tamzara …

VHR 1783 / ISBN 978-3-86434-007-9

Comedian Harmonists

Das Fräulein Gerda · Das ist die Liebe der Matrosen · Der Onkel Bumba aus Kalumba · Ein bisschen Leichtsinn kann nicht schaden · Eine kleine Frühlingsweise · Ein Freund, ein guter Freund · Ich hab das Fräul'n Helen baden sehn · In der Bar zum Krokodil · Irgendwo auf der Welt · Liebesleid · Liebling, mein Herz lässt dich grüßen · Mein kleiner, grüner Kaktus · Puppenhochzeit · Veronika, der Lenz ist da

VHR 1784 / ISBN 978-3-86434-028-4

HOLZSCHUH

www.holzschuh-verlag.de